# NEW 서울대 선정 인문고전 60선

## 47

예링 **권리를 위한 투쟁**

NEW 서울대 선정 인문 고전 47

 예링 권리를 위한 투쟁

개정 1판 1쇄 인쇄 | 2019. 8. 14
개정 1판 1쇄 발행 | 2019. 8. 21

윤지근 글 | 청강만화스튜디오 그림 | 손영운 기획

발행처 김영사 | 발행인 고세규
등록번호 제 406-2003-036호 | 등록일자 1979. 5. 17.
주소 경기도 파주시 문발로 197 (우10881)
전화 마케팅부 031-955-3100 | 편집부 031-955-3113~20 | 팩스 031-955-3111



값은 표지에 있습니다.
ISBN 978-89-349-9472-5
ISBN 978-89-349-9425-1(세트)

좋은 독자가 좋은 책을 만듭니다. 김영사는 독자 여러분의 의견에 항상 귀 기울이고 있습니다.
독자의견전화 031-955-3139 | 전자우편 book@gimmyoung.com
홈페이지 www.gimmyoungjr.com | 어린이들의 책놀이터 cafe.naver.com/gimmyoungjr

이 도서의 국립중앙도서관 출판예정도서목록(CIP)은 서지정보유통지원시스템 홈페이지(http://seoji.nl.go.kr)와
국가자료종합목록시스템(http://www.nl.go.kr/kolisnet)에서 이용하실 수 있습니다. (CIP제어번호 : CIP2018042971)

**어린이제품 안전특별법에 의한 표시사항**

제품명 도서 제조년월일 2019년 8월 21일 제조사명 김영사 주소 10881 경기도 파주시 문발로 197
전화번호 031-955-3100 제조국명 대한민국 ⚠주의 책 모서리에 찍히거나 책장에 베이지 않게 조심하세요.

미래의 글로벌 리더들이 꼭 읽어야 할 인문고전을 만화로 만나다

NEW
서울대 선정
인문고전
60선
47
예링 권리를 위한 투쟁
윤지근 글
청강만화스튜디오 그림

주니어김영사

# '서울대 선정 인문고전 50선'이 국민 만화책이 되기를 바라며

Carpus JurisCinks

40여 년 전, 제가 살던 동네 골목 어귀에는 아이들에게 만화책을 빌려 주는 가게가 있었습니다. 땅바닥에 검정색 비닐을 깔고 그 위에 아이들이 좋아하는 만화책을 늘어 놓았는데, 1원을 내면 낡은 만화책 한 권을 빌릴 수 있었지요. 저는 그곳에서 처음으로 만화책을 접했고, 만화책을 보면서 한글을 깨쳤습니다. 어쩌면 그때 저는 만화가 가진 힘을 깨우쳤다고 할 수 있습니다.

이렇게 만화책으로 시작한 책과의 인연으로 저는 책을 좋아하게 되었고, 중학교 때는 도서반장을 맡게 되었습니다. 약 10만 권의 장서를 자랑하는 학교 도서관을 매일 밤 10시까지 지키면서 참 많은 책을 읽었습니다.

또래의 아이들이 지겹게만 여기던 헤밍웨이의 《노인과 바다》를 두 손에 땀을 쥐며 네 번이나 읽었습니다. 또한 헤르만 헤세의 《데미안》을 읽으며 질풍노도의 시절을 달랬고, 김래성의 《청춘 극장》을 밤새워 읽느라고 중간고사를 망치기도 했습니다.

당시 저의 꿈은 아주 큰 도서관을 운영하는 사람이 되어 하루 종일 책을 보면서 사람들에게 필요한 책을 쓰는 작가가 되는 것이었습니다. 이제 저는 한 가지 더 큰 꿈을 가지려고 합니다. 그것은 우리나라의 아이들이 꿈과 위로를 얻고, 나아가 인생을 성찰하게 해 줄 수 있는 멋진 만화책을 만드는 일입니다.

'서울대 선정 인문고전 50선'은 서울대학교 교수님들이 추천한 청소년들이 꼭 읽어야 할 동서양 고전 중에서 50권을 골라 만화로 만든 것입니다. 이 책들은 그야말로 인류 문화의 금자탑이라고 할 수 있는 것이지만, 사실 제목만 알고 있을 뿐 쉽사리 읽을 엄두가 나지 않는 책들입니다.

그것을 수십 명의 중 · 고등학교 선생님들과 전공 학자들이 밑글을 쓰고, 또 수십 명의 만화가들이 고민에 고민을 거듭하여 쉽고 재미있게, 그러면서도 원서의 내용을 정확하게 전달할 수 있도록 노력하여 만들었습니다.

그래서 '서울대 선정 인문고전 50선'이 어린이와 청소년뿐만 아니라 부모님들이 함께 봐도 좋을 만화책이라고 자부합니다. 국민 배우, 국민 가수가 있듯이 만화로 읽는 '서울대 선정 인문고전 50선' 이 '국민 만화책' 이 되길 큰마음으로 바랍니다.

손영운

| 글작가 머리말 |

# 법의 목적은 평화이고, 법의 수단은 투쟁이다!

독일의 법학자 예링은 법학도가 아닌 일반인들에게 친숙한 사람은 아닐지도 모릅니다. 그의 법학 저서들은 대체로 법학도가 아니면 쉽게 접근하기 어렵고 관심을 갖기에 매력적이지도 않을 것입니다. 그렇지만 《권리를 위한 투쟁》이란 책은 우리의 예상에서 벗어나는 책이라고 감히 말할 수 있습니다. 《권리를 위한 투쟁》이라는 책 제목을 보는 순간 누구든지 마음에 거부할 수 없는 충동을 느끼게 될 것입니다. 왜냐하면 권리와 투쟁이란 말은 우리의 삶에서 떨어질 수 없어서 마치 우리 자신의 일부라고 받아들이기 때문일 것입니다.

사실 인간의 삶에서 권리만큼 직접적이고 포괄적이고 소중한 가치가 있을까 싶습니다. 권리는 소중한 만큼 또 예민하기도 합니다. 왜냐하면 권리는 단순히 추상적인 정의가 아니라 우리가 누리는 구체적인 조건이기 때문입니다. 권리가 없다면 의무도 발생하지 않을 것입니다. 권리는 없고 의무만 있다면 그것은 더 이상은 삶이 아니라 영원한 형벌이겠죠. 권리에 기초해서 의무가 발생하고 의무에 근거해서 권리가 부여되는 상호성에 대한 규정이 법이고, 이러한 규정의 집합체가 법전입니다. 그러므로 법은 권리로부터 시작합니다.

예링은 법은 투쟁을 통해서 태어난다고 말합니다. 그는 법의 목적은 평화이고 법의 수단은 투쟁이라고 말합니다. 불법과의 싸움은 법의 영원한 숙명이라고요. 불법을 제압하고 평화를 실현하는 것이 법의 목표라면 그 목표에 도달하는 과정은 투쟁입니다. 그래서 법은 추상적인 규정이나 법 규정에 대한 해석이 아니라 구체적이고 실천적인 삶, 즉 권리를 위해서 투쟁하는 삶의 모습입니다. 삶에서 발생하는 권리침해나 공격에 대한 개인들의 구체적이고 실천적인 투쟁은 법의 생존에 필연적인 요소입니다.

예링은 권리 침해는 바로 인격 침해이며 그래서 권리를 지키려는 투쟁을 포기한다면 스스로 인격을 포기하는 정신적 자살이라고 말합니다. 권리가 공격받으면 그로 인한 내적 고통이 발생하는데 이러한 고통을 제거하려는 구체적인 대응이 권리를 위한 투쟁입니다. 부당한 권리 침해가 야기하는 고통에 정당하게 맞서려는 직접적이고 내적인 욕구가 예링이 말하는 법 감정입니다. 모든 권리를 위한 투쟁은 법 감정에 근거해서 발생합니다. 법이 보장하는 권리가 공격받으면 즉시 그에 어떤 희생을 감수하더라도 맞서서 권리를 지켜야 한다는  내적인 감정이 생겨난다는 것입니다. 각각의 개체들이 구체적인 삶에서 건강하고 숭고한 법 감정에 따라서 침해받은 권리를 위해 투쟁할 때 그 법은 살아있는 법입니다.

권리를 보장해 주는 법과 보장받은 권리를 위한 구체적이고 실천적인 투쟁은 서로 불가분의 관계입니다. 그래서 법의 목표는 평화이고 그 평화는 구체적인 투쟁을 통해서 실현되는 것입니다. 한 순간이라도 불법은 용납할 수 없다는 것은 법의 항구적인 원칙입니다. 불법에 대한 신성한 법의 투쟁에 자발적으로 참여해서 결코 권리침해를 좌시하지 않겠다는 개인들의 숭고한 법 감정과 권리를 위한 투쟁은 건강한 사회와 국가 및 인류평화의 참된 원동력이 될 것입니다.

윤지근

| 그림 작가 머리말 |

# 표현의 자유를 위해 '투쟁'한 덕분에 누리는 '자유'

안녕하세요? 《권리를 위한 투쟁》의 만화를 담당한 〈청강만화스튜디오〉입니다. 〈청강만화스튜디오〉는 다양한 만화를 만드는 청강문화산업대학 만화창작과 학생, 졸업생, 교수들로 구성된 만화창작 전문 스튜디오입니다. 루돌프 폰 예링의 《권리를 위한 투쟁》의 만화 작업을 통해 여러분께 인사드리게 되어 반갑고 기쁩니다.

어쩌면 딱딱한 내용일지 모르는 원작을 친절하고 흥미롭게 전달해야 하는 지식 교양 만화의 특성상 만화를 구성하고 제작하면서 만화를 그리는 사람들 모두 원작이 주고자 하는 주제와 내용을 몇 번이고 곱씹어 보게 되었습니다. 물론 글을 쓰신 작가 선생님이 잘 정리하신 내용이지만 그 내용을 제대로 이해해야 좋은 만화로 만들 수 있으니까요.

일단은 제목이 예사롭지 않지요? 보통 '투쟁' 이라는 단어는 뭔가 과격해 보이는데 '권리' 를 위해서 '투쟁' 해야 한다니 말이지요. 하지만 결국 우리가 공기나 물처럼 당연히 존재하고 있는 것이라고 생각하던 '권리' 라는 것이 무엇인지, 무엇을 위한 것인지에 대한 질문이라는 것을 만화를 만드는 저희들이 그랬던 것처럼 만화

를 읽는 여러분도 곧 깨닫게 되실 겁니다. 권리를 통해 만들어진 법이라는 것이 제대로 작동해서 시민들을 보호하고 사회를 조화롭게 유지시키려면 사회를 구성하는 우리 개개인이 얼마나 적극적으로 '투쟁' 해야 하는지를 끊임없이 강조하고 있습니다.

사실 법들이 보장하는, 너무도 당연해 보이는 우리의 권리들을 위해 역사 속에서 수 없이 많은 사람들이 피를 흘렸고, 지금도 세계 곳곳에서 계속해서 많은 사람들이 희생당하고 있다는 현실 속에서 예링의 사상은 여전히 설득력을 가질 수밖에 없습니다. 지금 여러분이 읽는 만화라는 분야만 살펴봐도 우리나라에서는 불과 십 년, 이십 년 전만 해도, 지금처럼 그리고 싶은 것을 자유롭게 그리고 읽고 싶은 것을 자유롭게 읽을 수 없었습니다. 많은 만화가와 다른 분야의 작가들이 표현의 자유를 위해 '투쟁' 한 덕분에 지금의 자유를 누릴 수 있게 된 것이지요. 아마 다시 이런 자유의 소중함을 모르고 이런 자유를 지키기 위한 노력을 게을리 한다면 다시 이런 당연한 '권리' 들이 위협을 받게 되겠지요. 바로 이런 이야기들을 예링이 들려주고 있습니다.

이 만화를 읽는 여러분도 만화를 그리며 여러 가지 생각을 얻은 저희들처럼 많은 것들을 생각해 보는 좋은 기회가 되었으면 좋겠습니다. 저희가 그린 만화를 읽어 주셔서 감사합니다.

청강만화스튜디오

| 차 례 |

# 제1장 《권리를 위한 투쟁》은 어떤 책일까?

권리를 위한 투쟁

《권리를 위한 투쟁》?
제목만 들어도 용감해 보이고
권리를 위한 투쟁

왠지 좀 정의로워 보이지?
으하하
와
와

법을 공부하는 사람뿐만 아니라 일반 사람들도 한 번 정도 읽어 보면 좋은 아주 유익한 책이야.
최고야
와
권리를 위한 투쟁


보통 법학 책이라고 하면 어렵고 이해하기 힘든 말과 재미없고 고리타분한 규칙들로 가득 차 있을 거라고 생각하지.

법학 책이 재미있다고 생각하는 사람은 거의 없을걸!

그런데 《권리를 위한 투쟁》이란 책은 제목부터 뭔가 좀 특별할 것 같지 않니?
권리?
투쟁?
권리를 위한 투쟁

법학 책인데, 제목에 권리니
투쟁이니 하는 말이 들어가니까
좀 이상한 거 같기도 하고.

법
권리?
투쟁?

생각해 보면 법이란 권리에 대한 해석이라고 해도 과언이 아니야.


법은 권리와 의무의 관계를
설명하는 것이니까.

권리
의무

무엇이 권리고 무엇이 의무인가
혹은 무엇은 해도 되고 무엇은 해서는 안 되는가 하는
그런 규칙을 포함한 책이 법전이지.

법전

법이 권리에 대한 것이라는 것은 쉽게
이해가 가는데 투쟁이라는 말은
좀 어색하다고?

투쟁 =


그럼, 여러분 스스로 이렇게 질문하고 대답해 봐.

법은 무엇인가?
법이란 투쟁이고 그 투쟁은 권리를 위한 투쟁이다.

어때? 조금 알 듯 말 듯 하지?


독일에서는 '권리'와 '법'을
한 단어로 사용한다는 걸
알아 두면 도움이 될 거야.

Recht
=
권리, 법


그러니까 권리를 위한 투쟁이라고 해도 되고
법을 위한 투쟁이라고 해도 돼.

실제로 독일어로 된 이 책을 영어로는 법을 위한 투쟁이란 뜻으로 번역했지.

Struggle for Law

그러니까 권리를 위한 투쟁은 곧 법의 정신과 원리를
말하는 것으로 법의 투쟁이라고 이해해도 될 거야.

권리를 위한 투쟁
=
법의 투쟁

법의 투쟁이라,
이렇게 한번
생각해 볼까?

권리나 법은 어떻게 생겨난 걸까?
권리
법

산타클로스가 갖다 주는 크리스마스
선물처럼 자고 나면 생기는 걸까?
권리

권리는 가만히 있으면 저절로
다 보장되는 걸까?
권리
촤아아

우리의 권리를 지켜 주는 현재의 법은
어느 날 갑자기 생긴 걸까?
짜잔
콰아
법

아무런 수고가 없어도 권리는
주어지는 걸까?
난
가만히
있었는데
다 됐네.
히히~
법
권리

조선 시대 여자들의 삶이 시간이 지나니까 저절로
오늘날처럼 바뀐 걸까?
여자가 어딜!
살림이나 해!
과거
현재

미국의 노예 제도나 인종 차별도 시간이 지나면서
저절로 없어진 걸까?
투욱
노예제도

여러분이 지금
두발 자유를 원한다면,
귀 밑 3cm
위반시 벌점 30점
아~
내 맘대로
머리 한번
길러 봤으면….
그냥 기다리면 저절로 두발 자유가 이루어질
거라고 믿어?
귀 밑
위반시 벌
꺄아~
자유를
주마!
퍽
그렇게 생각하는
사람은 아무도
없을 거야.
젠!

'우는 아이에게 젖 준다.' 는 말도 있잖아.

아이가 우는 것은 자신의 생존을 위한 수단이며 생존을 위해 반드시 필요한 노동이야.
으아아앙

그러니까 어떤 법이나 권리도 아무런 노동이나 노력이 없이 그냥 공짜로 주어진 것이 아니라 힘든 노동의 결과라는 거지.
한 모금도 그냥 나오는 게 아니라고.

투쟁이라고 하니 싸운다는 생각이 먼저 들겠지만, 말하자면 무엇을 얻으려고 애를 쓴다는 의미야.

얻어 내려고 애를 쓰는 것에는 단순한 주장에서부터 법적 소송에 이르기까지 여러 가지 길이 있지.
저것입니다!
법원

자신의 권리를 얻어 내려는 모든 노력과 수고를 한마디로 '권리를 위한 투쟁' 이라고 하는 거지.

지금 우리가 누리는 이 평화와 행복은 그냥 처음부터 주어진 것이 아니라,

역사 속에서 힘든 노동과 투쟁을 한 사람들 덕이라고 생각하면 돼.
으샤
으샤

그리고 여러분도 여러분의 권리를 위해 싸울 준비가 돼 있고 실제로 애를 쓰고 있지.
권리

여러분이 애쓰고 수고한 덕분으로 여러분의 후손이나 다른 사람들이 대신 평화를 누리는 것도 상상해 봐.
바로 이것이 인생이고 역사니까.
권리
새근~ 새근~

인생에는 공짜가 없다는 말이 맞는 것 같아.
공짜인 것처럼 여겨지는 것도 사실은 나도 모르게 다른 사람의 수고가 들어간 것이니까.
와아~ 깨끗하다!

만약에 나의
권리를 침해받는다면
어떨지 생각해
본 적 있어?
권리

권리 침해라고 하는 것은 법이 보장해 주는 권리를
부당하게 침해받는 것을 말해.
으악!
무슨 짓이야!
찌익
내놔!
권리

어떤 물건을 두고 서로 주인이라고
다투는 것은 권리 침해라고
하지 않아.
내 거야!
내 거야!

이런 경우는 소유권이 부정되거나
침해된 것이 아니니까.
사과
소유권

이럴 땐 서로 타협을
하면 돼.
우리 반씩
나눠 먹을까?
좋아.

그러나 누가 나의 소유를
강제로 빼앗아 간다면
어머~
내 사과!

법이 정한 소유권이 불법의 공격을
받는 거지.
와
작
소유권

이런 경우, 나의 소유를 지키는 것은
단순히 어떤 물건을 지키는 것 이상이며,
법이 인정한 소유에 대한 권리
즉 소유권 자체를 방어하는
것이 돼.
안 돼
소유권

불법으로 소유권을 침해하는 것은 법이
보장하는 소유에 대한 권리를 인정하지
않으려는 것이니까.
크크크~
네 것 내 것이
어디 있어?

이것은 개인 차원에서는 그
사람의 권리에 대한 공격이지만
내 물건
돌려… 윽!

법의 차원에서는 법이 정한
소유권에 대한 부정으로, 법에 대한
공격, 불법의 공격이라고
말할 수 있지.
팍
소유권
불법

대체로 불법으로 일어나는 권리 침해는 침해당하는 자에게 인격적 모욕과 그로 인한 정신적 고통을 일으켜.

억울해. 분해.
왜 하필 나냐고!

많은 노동과 수고를 지불하고 마련한 소중한 어떤 것을 빼앗기게 될 위기에 처하면 우리는 어떻게 해야 할까?

스윽

그냥 아무런 저항도 하지 않고 빼앗기고 말 것인지,

아…
크크크~ 너무 쉬운걸!

내가 할 수 있는 모든 것을 동원해서 나의 권리를 지킬 것인지, 선택해야 하고

어라!

만약 여러분이 지금 어떤 희생을 치르더라도 이것을 반드시 지켜 내겠다고 결심한다면,

절대 포기할 수 없어!
끄응~

여러분은 권리를 위한 투쟁을 하고 있다고 할 수 있지.
잘한다~!!

앞으로 계속 이런 내용을 만나게 될 거야.
권리를 위한 투쟁

권리는 권리자 스스로가 지키고

내 권리야!
권리

권리를 지키는 것은 권리자의 자존심과 인격을 지키는 거야.

활활활…
권리
권리를 지키는 것은 바로 나를 지키는 거라고.

이제 여기에
권리 대신
법을 대입해서
생각해 보자.
권리
법

내가 나의 권리를
지키려는 노력은
바로 새로운 역사를
실행하고,

나의 권리를 지키고 보호해 주고 있는 현재의 법도 옛날부터 그냥 있었던 것이 아니라
수많은 사람들의 수고와 노동이 얻어낸 결과물이라는 것을 잊지 마.
새로운 법
권리
권리를 위한 새로운 법을
만들어 내는 놀라운 일이
된다는 것도 기억해.

이것이 바로 이 책의
저자인 예링이 말하는
법이고
법

우리가 지금 읽고 있는
《권리를 위한 투쟁》의 주제야.
공격받은
권리를
지켜 내기!
권리를 위한
투쟁은 쉽지도
간단하지도
않지만 반드시
해야만 한다.

그래서 예링은 법을 투쟁으로
설명한 거지.

예링 이전에는
법에 대한 이러한 사상이
오늘날처럼 널리
주장되지 않았어.

당시 사람들 대부분은 법이란 이러한
수고와 노동이 없어도 저절로 생기고
발전하는 것이라고 생각했어.
법?
원래부터
있던 거라면

얼핏 보기에는 법에 대한 구체적인
투쟁이 없어도 법은 생겨나고
존재할 것 같으니까 말이야.
그냥 따라가기만
하면 된다고.
법

실제로 모든 사람이 법에 대해 잘 알고 있지도 않고, 법이 생기는 데 결정적으로 참여하고 있지도 않으니까,
법

법이 저절로 생겨났다고 생각할 수도 있을 거야.
법이요? 그냥 원래부터 있던 거 아닌가요?

앞에서 말한 것처럼 잠잘 때 머리 위에 두고 간 크리스마스 선물처럼 말이야.
법

또 이렇게 생각하는 사람이 있을지도 몰라.
법이고 뭐고 난 몰라.
그냥 내가 살고 싶은 대로 살면 그만이야.

그러나 기억해야 할 것은 "살고 싶은 대로 살 수 있다는 것" 바로 그 권리를 위해서 누군가가 힘들게 수고하고 노동한다는 거지.
우리의 권리를 포기할 수 없다!
권리

예를 하나 들어 볼까?

조선시대 종을 생각해 봐.
우린 권리가 없어.
어~험
주인

하지만 요즘에도 종이 있을까? 누가 자기를 종 삼으려고 하면 아무도 가만 있지 않을걸?
이 시대에 종이라니 말도 안 되는 소리예요!

어떻게 이러한 변화가 생겼을까?
신분
제도

봄에 싹이 나서 가을에 잎이 떨어지는 것처럼

우리 삶도 자연스럽게, 아무것도 하지 않아도 우리가 바라는 대로 저절로 변하는 걸까?
신분제도
시간이 지나면 언젠가는 변하겠지.
종

또 우리의
아픈 역사를
생각해 보자.
우리는 한때 분하게도 일본에게 나라를 빼앗겼어.
일본 사람들이 우리를 핍박했지.
여러분도
잘 알고
있지?

일본이 우리 권리를 다 빼앗아 갔어. 한 나라의 황후도 죽이고, 먹을 것도 빼앗아 가고, 젊은 학생들을 전쟁터로 붙잡아 갔지. 그뿐 아니라 우리글도 못 쓰게 하고 이름도 일본 이름으로 바꾸게 하고 자기 나라 왕에게 충성하라고 절하게 하고….
내가 이나라에…!
여우 사냥
성공!
다 가져가면
뭘 먹고 사냐고?
넌 이제부터
아키코다!
천황을 위해
싸워라!
일본이 우리에게
한 일을 다 적으려면
끝이 없어.

그러다 1945년 우리는 일본의 지배에서 벗어나 광복을 맞이했어.
대한 독립
만세~
와아!
와!
켁

나라의 주권을 다시 찾은 거지. 우리가 원하는 대로
살 수 있는 자유와 권리를 되찾은 거야.
권리
항복

얼마나 기쁘고
좋았을까?
광복
으헤헤

그런데 이 광복이 공짜로
주어진 걸까?
옛다!
와~
광복

정말 아무것도 안 하고 잠만 잤는데
깨어 보니 광복이 떡 하니 생긴 걸까?
꼬끼오~
광복

아니오! 주권을
찾기 위해 노력했기
때문이에요!
오!
정답이군!
번쩍!

물론 일제 강점기에
모든 사람들이
다 권리를 찾기
위해 싸운 것은
아니야.

일본 사람들에게 붙어서 자기만 편하게
살려고 한 사람도 있었고
친일파
당신은
좀 봐주
겠스무
니다.

권리가 뭔지 생각도 안 하고 그냥 아무
생각 없이 살려고 한 사람도 있었고
인생 뭐
별 거
있나?

억울하고 분하지만 용기가 없어서
싸우지 못한 사람도 있었고
그냥
참자.
흥!

살기 위해서 어쩔 수 없이 참아야 한다고
생각하는 사람도 있었지.
살아남는 게
먼저야.
으악

하지만 우리는
얼마나 많은 사람들이
우리나라의 독립을
위해서 싸웠는지
알고 있어.

예를 들면, 안중근 의사,

윤봉길 의사,

김좌진 장군,

유관순 열사,

안창호 선생,

김구 선생을 비롯해

이름이 알려지지 않은
많은 독립군들.

이들뿐 아니라 소설가나 시인, 학자,
학생 등 많은 사람이 각자 자기가
할 수 있는 대로 독립을 위해 희생했어.
으악!
탕
탕!

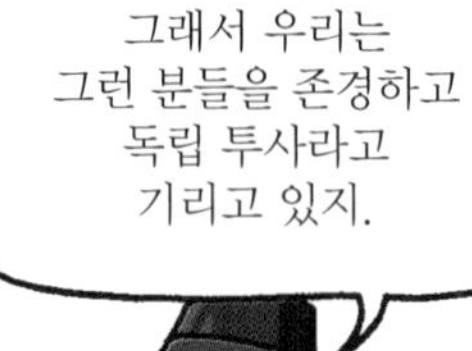
그래서 우리는
그런 분들을 존경하고
독립 투사라고
기리고 있지.

그들은 그 투쟁을 위해서
자신뿐만 아니라 가족까지도
희생해야 했으니까.
아빠!
여보!

그리고 우리 백성 거의 모두가 참여해서 만세를 불렀던 3 · 1 운동은 온 국민이 다 독립과 권리를
위해서 싸웠다는 것을 말하는 것 아니겠어?
와아
와
와아
와아

이 책에서는 권리란
희생을 각오하고 싸워서
지켜야 하는 것이고
또 싸워서 얻는 것이라고
강조해.
권리

법이 무엇이고 어떻게 생겼는지 모르고
관심도 없다고 생각하는 사람은 스스로
"무식한 사람입니다."하고 외치는 것과
마찬가지야.
법 따위 관심 없어
=난 무식해~
쯧쯧

오늘, 나의 권리와 자유를 지켜 주는 모든 법은
자
유
법
법
권리

그냥 우연히 생긴 것이 아니라 힘든 투쟁의 결과라는 사실!
법
법

앞으로 우리의 권리를 지켜 줄 또 다른 여러 법도
우리의 자유와 권리를 막는 악법과 싸워 이겨서 얻을
수 있지.
퍽
악법
악법

권리
법
권리를 위한 투쟁 혹은
법의 투쟁이 힘들고
용기가 필요하지만,
얼마나 소중하고
귀중한 것인지
이제 알겠지?

또 우리는 우리보다 앞서 지금 우리가 누리는
법을 위해 희생하고, 용감하게 싸운 사람들에
게 감사하는 마음을 잊어서는 안 돼.

법을 위한 투쟁은 나 개인에서부터 우리 가정이나 지역,
나아가서는 우리나라와 전 세계에 이르기까지
존재한다는 것도 함께 말이야.

《권리를 위한 투쟁》은 아주 얇은 책이야.
지금 우리말로 번역된 책은 한 80쪽 정도지.
권리를 위한 투쟁

독일어로 쓴 원래 책은 우리나라 말로 번역된 책보다 좀 더 두꺼워.
로마법
독일판
한국판
마지막 로마법에 대한 부분이 더 있기 때문이야.

그렇다 하더라도 보통 철학 책이나 법학 책 하면 엄청 두꺼워서 감히 손에 들기도 부담스러운데, 이 책의 독일어 원본도 상당히 큰 활자로 107쪽 정도니 그렇게 두꺼운 책은 아니지.
권리를위한 투쟁

이 책은 원래 예링이 비엔나에서 했던 강연 내용을 정리해서 나중에 책으로 출판한 거야.
그래서 연설이나 웅변 같은 분위기를 느낄 수 있지.

예링은 이 짧은 책에서 법의 목적과 수단, 왜 권리를 위한 투쟁을 해야 하고, 이 투쟁이 왜 중요한가를 분명하게 설명하고 있어.
권리를 위한 투쟁

예링이 이 책에서 목표로 하는 것은 법이란 책상 앞에 앉아서 법리 해석이나 하는 이론적인 탁상공론이 아니라

권리가 짓밟히는 현장에서 권리자가 실제로 어떻게 행동할 것인가 하는 실천적인 문제에 대한 지침을 제공하고자 하는 것이었어.
푸쉬쉬
내권리
법

우리는 예링이 쓴 머리말에서 이러한 사실을 확인할 수 있어.

그렇다면 우리는 매일 싸우고 모든 일에서 언제든지 투쟁해야 할까?
내 장난감이야!
무슨 소리!

물론 아니지. 우리가 무슨 싸움꾼인가?

매일 무슨 일에도 자기만 옳다고 우기며 싸우라는 말이 아니야.

또 무슨 일이든 희생을 각오하고 싸워야 할까?
빈자리다!

사실 가능하면 점잖고 관대하고 친절하고 오래 참는 사람이 훌륭한 사람이지.
여기 앉으세요.
여러분도 이런 사람이 되려고 노력해야 해.

자기 욕심만 부리고 자기만 옳다고 주장하고
내가 먼저 지나갈 거야!

서로 양보 없이 싸움만 일삼으면

마침내는 진흙탕의 개싸움이 될 뿐이야.
으르렁~
멍!멍!

서로 물어뜯고 싸우면 결국 다 망하고 말지.
나도 못 사는데 네가 살게 놔둘 줄 아냐?
그러는 너도 못 나갈 줄 알아!
이런 사람들의 싸움은 권리를 위한 투쟁이라고 할 수 없지.

'권리를 위한 투쟁' 이란 법이 보장한 권리가 부당하게 짓밟힐 때 받는
권리
법

정신적 고통을 해결하기 위해서 감행하는 권리 주장이야.
법

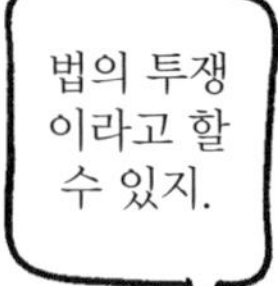
법의 투쟁 이라고 할 수 있지.

법의 싸움은 공법과 공적인 기관에서 일어나기도 하지만,
헌법
형법
소송법
행정법
국제법
살인교사죄로 징역에 처한다.
땅땅땅

사법의 영역, 즉 개인들의 삶의 하찮은 영역에서도 일어나.
민법
상법
저한테 50만 원 빌려 가서 갚지 않고 있다고요!
내가 언제?

그러므로 권리를 위한 투쟁이란 개인이든 집단이든 민족이든 간에 권리가 공격받을 때
내 놔!
권리

그 공격에 맞서 자신의 정신적 생존을 지키기 위한 인격 주장으로서의 권리 주장이며
안 돼!
권리

나아가서 법이 불법에 맞서 싸우는 현실을 생생하게 표현한 것이라고 생각하면 돼.
법
불법은 안 돼!
권리

그러면 우리는 왜 불법과 맞서 싸울까?

여러분은 불법을 보면 기분이 어때?
불법
내놔!

혹은 이유 없이 불법을 당하면 어떤 마음이 들어?
아!
따닥!
불법

어떤 불법을 당했거나
권리 침해를 받아서 자존심이
몹시 상하고 인격적 모욕을
받으면 기분이 어떻겠니?
마음에
고통이
생기지요.

맞아. 그리고 고통이 생기면 그 고통을 해결하려는
정신적인 요구가 발생하게 돼.
이렇게
억울하게 당할
수만은 없어!
우리가
앞으로
법 감정이라고
부르는
것이지.
화르르~
법 감정

불법에 맞서 싸우는 것은 법의 영원한 사명이야.
화르르
진짜 법으로
널 없애겠다!
법
욱!
불법
법이 존재하는
이유와 목적이 바로
이 불법과 맞서 싸우고
불법을 없애는
것이거든.

예링은 권리를 위한 투쟁에서
법은 우리 머릿속에 추상적으로
있는 것이 아니라
법

나의 가슴속에서 살아서 자기 인격과 존재를
지키는 법 감정이 되어 구체적으로 행동하고
실천한다고 가르쳐.
법
법 감정
스스로
지키기 위해
행동하라!

그래서 법은 불법과
싸우기 위해서
용기와 결단이
필요해.
불법

게으르고 나태하고
비겁하면 불법을 당하고도
통행료
안 낼 거면
이 밑으로
지나가!

괜히
싸워서
뭐해.
자신의 가슴속에서 생기는 위대한 법 감정을
배신하고 그냥 노예처럼 굴종하지.

우리는 존재와
인격에 상처를
입을 때
아얏

사실 항상 싸우지는 못해.
으휴~
그냥 내가
참자.

우리를 부당하게 억압하는 불법이 있다고 해도 우리
모두가 언제나 똑같이 불법에 항거해서 싸우지 못하는
것도 사실이고.
불법
오늘은 그냥
돌아가자.

처음에는 용기 있고 참지
못하는 사람이 먼저 담대하게
싸우겠지만,
으아아~
못 참아!

그것으로 그 불법이
없어지지는 않아.
그정도론
택도
없다.
불법
덤벼!

그러나 시간이 흐르면 점점 더 많은 사람이
법 감정에 따라서 그 싸움에 참여하게 되고
불법
윽!

마침내 정당한 권리를 수호하는 법이 불법을
이기게 되고
권리
내가 졌다.

평화를 누리게 되는 거지.

독재에 대항해서 싸우고 민주화를
이루어 낸 우리 부모님 세대를 생각해 봐.
민주주의

또 지금도 세계 곳곳에서 일어나는 정당한
권리에 대한 투쟁도 잊지 마.

정당한 법을
위한 투쟁이란
그래서 참으로
고귀한 거란다.

권리를 위한 투쟁은 권리자의 인격 투쟁이요,
권리
인격

자기 자신에 대한 의무이고
꼭 해야만 하는 것!

동시에 사회와 인류에 대한 의무이며, 개인과 국가 전체를 위해서도 아주 중요한 행동이지.
권리

예링은 이렇게 말했어.
개인이든 집단이든 국가든 자신의 권리는 스스로 지켜야 하고
쏴아아
그러한 권리를 위한 투쟁은 법의 본질에 속하는 것이다.

이제 예링이 《권리를 위한 투쟁》이라는 책에서 무엇을 말하려고 하는지 어느 정도 감이 잡히지?

《권리를 위한 투쟁》을 잘 읽고 배워서
권리를 위한 투쟁

누군가 부당하게 나의 인격과 권리를 무시하고 있다고 생각되면
아! 그 베개랑 이 목침이랑 바꿔!

그냥 짜증 내고 불평만 하며 소심하게 주저앉지 말고,
뭐야~ 이 딱딱한 목침을 내가 왜 써야 하냐고!

조심스럽게, 그러나 분명하고 당당하게 정당한 권리를 위한 투쟁을 한번 시도해 봐.
형~ 베개에 대한 내 권리를 돌려줘!

그러면 여러분은 새로운 법을 만드는 주인공이 될 거야.
꼬옥

자, 이제 《권리를 위한 투쟁》을 쓴 예링에 대해서 좀 더 알아보기로 하자.

# 함무라비 법전

▲ 함무라비 법전 윗부분의 부조.

함무라비 법전은 세계 3대 법전 중의 하나로, 기원전 1780년 정도에 만들어진 것으로 추정됩니다. 현존하는 가장 오래된 법전에 속하며, 고대 메소포타미아 문명 중에서 가장 잘 보존된 법전입니다.

함무라비 법전은 고대 바빌로니아 왕국의 왕인 함무라비에 의해 만들어졌고 완성도가 매우 높습니다. 함무라비는 바빌론 제1왕조의 6대왕으로서 가장 잘 알려진 왕이에요. 함무라비 왕은 신들을 기쁘게 하기 위해서 이 법들을 기록했던 것으로 여겨지는데, 그는 스스로 신들의 총애를 받는 왕으로 생각했고, 정의로운 통치자라는 이상을 보여주기 위해서 이 법전을 편찬한 것으로 보입니다.

함무라비 법전에는 함무라비 왕의 판결이 수록되어 있으며, 통치 말기에 수집되어서 바빌론의 가장 큰 신인 마르둑 신전에 세워진 비석에 새겨졌습니다. 함무라비 법전은 282개의 판례법으로 구성되어 있고, 1에서 282까지 번호가 매겨져 있는데 그중에 13번과 66에서 99번까지는 빠져 있습니다. 함무라비 법전은 지금 이란의 쿠제스탄 지역인 엘람의 수사에서 1901년에 발견되었는데, 아마 기원전 12세기경 엘람 왕이 약탈해 그곳에 갖다 둔 것으로 추측됩니다. 현재는 프랑스 파리 루브르

박물관에 보관되어 있습니다.

함무라비 법전의 주된 내용은 절도나 농경, 재산권 침해, 여성, 어린이, 혼인, 살인, 사형 및 상해나 노예법 등에 관한 것이며, 가격이나 관세 무역, 통상에 관한 경제 관련 법규들도 있습니다. 함무라비 법전의 법체계는 수메르에서 전해진 것으로 보이는데, 함무라비 법전은 수메르어와 같은 쐐기 문자를 사용하는 아카드어로 기록되어 있습니다. 아카드어는 수메르어의 문자를 사용했지만 언어는 히브리어나 아랍어처럼 셈족의 언어에 속하며 수메르어와는 아주 다른 언어입니다.

또한 함무라비 법전에 나오는 법들은 성경의 출애굽기에 기록된 모세의 계약법과 유사한 내용이 많아서 성경을 연구하는 학자들에게도 아주 유용합니다. 예를 들면 성경의 구약 율법에 나오는 '눈에는 눈 이에는 이라고 하는 법' 등이 대표적인 예입니다.

함무라비 법전은 돌에 기록됨으로써 함부로 변경할 수 없는 지속성을 가진다는 것도 주목할 만한데, 몇 개의 기본적인 법규는 왕이라도 함부로 변경할 수는 없었습니다. 이런 점에서 함무라비 법전은 법 개념을 가진 최초의 본보기로 지적되기도 합니다. 또 비석에 기록되어 모든 사람에게 공개된 상태였기 때문에 변명이나 실수라는 설명은 용납되지 않았습니다. 사실 그 당시 모든 사람이 글을 읽을 수 있었으리라 기대하기는 힘들지만 저지른 불법에 대해서 그 법을 몰랐다고 변명하는 것은 허용되지 않았습니다.

현대의 법체계에서 볼 때는 아직 원시적인 점들이 적지 않지만 그럼에도 부족의 단위를 넘어서는 국가법으로 생각될 수 있습니다.

# 제2장 예링은 누구인가?

예링 선생님 집중 탐구 시간!
예링이란 이름은 좀 생소해요.

아마 예링이란 이름을 들어본 사람은 그렇게 많지 않을 거야. 그래도 예링은 꽤 알아주는 사람이지.
씨익

이 책을 읽고 부모님께 예링에 대해 여쭤 보면 아마 이렇게 말할걸?
글쎄, 모르겠는데….
예링

공부 좀 하고 책을 많이 읽은 사람도 마찬가지일 거야.
누… 누구더라?
예링

이제 여러분이 예링에 대해 알고 나면, 자부심이 쑥쑥 생길걸.
후훗~

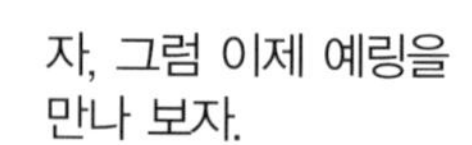
자, 그럼 이제 예링을 만나 보자.

예링

예링은
어떤
사람일까?
예링은
어느 나라
사람일까?

먼저, 예링은 독일 사람이야.

그는 독일 법학 혹은 법철학에서
유명한 학자지.

법학이나 철학은 공부하기가 쉽지 않아.
이런
어려운 공부는
독일 사람이
잘했어.

독일은 '철학의 나라', '법학의 나라' 라고 불리거든.

또 음악도
유명하잖아요?
오~ 맞아!

바흐, 하이든, 베토벤, 슈베르트 등 이름만
들어도 대단한 음악가들이 독일 사람이야.

이런 음악가만큼이나 법학에서
유명한 학자가 예링이지.

그런데 여러분은 법에
대해 진지하게 생각해
본 적이 있어?

법? 법이란
말은 많이
들어 봤어요.
도대체
법이 뭐지?

법은 무서운 거예요!
왜냐면 법을
안 지키면
벌을 받아야
하니까요.
경찰 아저씨들이
잡아가요.
감옥에
갈 수도
있어요!

사실 한 나라에는
수많은 법이 있어.
법
법
법
법
법

우리가 말하는
규칙이란 것도
법에 속하지.
규칙
삐익

여러분도 학교 생활에서 지켜야 하는
여러 가지 규칙을 잘 알고 있을 거야.
교복은
단정히
입을 것.
머리
단정하게
정리할 것.
복도에서
뛰지 말 것.

어느 단체든지
규칙이 없는
곳은 없어.
그래서 대부분의 사람들은 규칙이나
법하면 먼저 귀찮다는 생각부터 하지.
규칙
지켜야
하는 게
뭐 이렇게
많아.
조심
조심

마음대로 못하게 이런저런 간섭을 받고
또 지키지 않으면 벌을 받기도 하고 말이야.
실내에서는
공놀이하면
안 된다고
했지!

그러니 법 혹은 규칙이라고 하면
거부감부터 드는 것이 사실이지.
윽! 싫어!

그렇다면 우리를 귀찮게 하는
법이 없으면 좋을까?
법

또 법은 무서우니 나쁜 걸까?
법
칫!

여러 사람이 함께 생활하면 생각이 다르고, 습관이 다르고, 하고 싶은 것이 다르고,
행동하는 방법이 달라서 반드시 여러 충돌이 일어나게 돼.
빵
빵
팍

무인도에서
혼자 산다면
법이 필요
없겠지만.

하지만 사람들이 함께 사는 곳에는 어느 곳이든 법이 있어.

자연환경보전법
청소년보호법
인간이 존재하는 한
법도 존재한다고 봐야겠지.
과학기술기본법
자동차손해배상
보장 법
전파법
선원법
해운법
인간
법
통신비밀보호법
남녀고용평등법

법 중에는 현재 활동 중인 법도 있고

이미 사라진 법도 있고

좋은 법도 있고

당시에는 당연하게 생각되었지만 지금 생각하면 악법도 있지.

법
쓰레기
저런 법도
있었다니!
법
법

한때 필요했지만
지금은 필요없는
법도 있어.

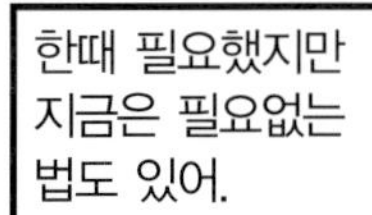

툭
동성동본
결혼금지법
휴지통

세상이 변하는 만큼
사람의 생각도 변하고
법도 변하거든.
법
변화

사실 나쁜 행동도 그 행동을 인정하는 법을 만들어 두고 그 법에 따라서 하는 경우가 있었어.

이것 봐, 법에
쓰여 있잖아!
그러니까 다 내놔!
헉!
정말?

예를 들면, 오늘날은 거의 모든 사람이
노예 제도에 반대하기 때문에
노예법이 있을 수 없지만

노예법

옛날에는 많은 사람이 노예를 당연하게 여기고,
필요하다고 생각했지.

노예가 없으면
일은 누가 하겠어?
노예법

악한 행동을 정당하다고 인정한
노예법은 악법이니까
빨리 없어졌을까?
노예법

하지만 세상 모든 사람의 생각이
다 똑같지 않기 때문에 그렇게
간단하지 않아.
그만두지
못해!
노예법
어,
어~

노예 제도가 사라지기까지는
오랜 시간이 걸렸어.
내 할아버지의
할아버지의
할아버지가
노예였지.
흑-

그러니까 법이란 단지
'법'이 아니야.
흠!
법
그냥
글만 쓰여
있는 게
아니라고.

법은 기록된 규칙 정도가 아니라
보장해 주는 권리와 이익의 보장이야.
법
노예 소유의
권리를
인정하겠노라.
앗싸~
노예법이 있을 때
노예 제도는
합법적이었으니까.

사회적 행위는 법에 의해서
합법으로 지지를 받기도 하고
세금
법
승리
호장

불법으로 거부되어 형벌의 강제를 통해서
막기도 하는 거지.
법
사기
강도
나쁜 행동은
벌을 받아야 해.

그래서 법은 때로는 좋기도 하고 때로는
좋지 않기도 하고, 나에게는 좋은데
다른 사람에게는 좋지 않기도 해.
노예법
넌 내 거야.
법으로 보장
받았다고!
후~

또 그 반대가
될 수도 있고.

노예법은 그 시대에는 당연하게
생각되었지만 지금 우리는 절대로
용납할 수 없는 법, 즉 악법이지.
윽!
와!
노예법

아무튼 법이
필요하다는 것을
부정할 수는
없어.
법

법이 없으면 무법천지가 되고, 그런 곳은 결코 살기 좋은 세상이 아니니까.
내가 이렇게 하는 게 좋다는데 누가 날 막는 거야!
크크~ 누가 날 혼낼 거야?

때로는 귀찮고, 때로는 무섭기도 한 법이지만 필요한 것이고, 반드시 있어야 하고,
사람이 사는 곳이라면 있을 수밖에 없다는 말이지.
강도같이 나쁜 사람들로부터 우리를 지켜 주기도 하고
법
쿵
법
때로는 세금 내라, 예비군 훈련 나오라, 이런저런 것을 하지 말라는 등 피곤하게 하기도 하고.

이제 법에
대해서
조금은 알겠지?

예링은 유명한 법학자이지만
법철학자이기도 해.
또 법사회학을 시작한 사람이기도 하고.
법학자
법철학자
법사회학자
탁!

그러니까 법을 연구하되 법을
철학이나 사회학적으로 연구했다는 뜻이야.
법이란 도대체 무엇인가?
법은 이 사회에서 어떻게 쓰여야 하는가?

여러분도 예링처럼
유명한 법철학자가
될 수 있어.
어…
어떻게요?

먼저, 법이 무엇인가 하는
질문을 던져 보는 거야.
법?

질문이 있으면 대답을 찾게 되고
대답을 찾는 과정이 바로 공부이고 학문이니까.
그렇게 쭈욱 하는 거야!

자, 이제 여러분이 법이 무엇인가 하는 법철학적인 문제에 대해 관심을 갖게 되면 예링이 더 이상 낯설지 않을 거야.

예링과의 만남
어? 나 이 아저씨 아는데….

왜냐하면 예링은 여러분의 좋은 선생님이 될 테니까.

누구든 처음 만나면 조금 쑥스럽고 서먹한 법이거든.

반갑구나.
히히

예링은 우리에게 법이 무엇인지 잘 가르쳐 줄 거야.

법
내 머릿속에 다 들어 있지.

새 담임 선생님을 만나면 먼저 선생님을 소개하는 시간을 갖는 것처럼,

예링

이제 예링 선생님에 대해 좀 더 자세하게 소개할게.

예링은, 1818년 8월 22일 독일 북해 해변가에 있는 프러시아의 오리히란 곳에서 법률가의 아들로 태어났어.

응애~

하이델베르크라고 들어 봤어? 독일 남부에 있는 아주 아름다운 도시야.

하이델베르크 대학하면 아주 유명한 대학이지.

1386년에 창립된 독일에서 가장 오래된 대학이라고.

예링은 바로 이 하이델베르크에서 법을 공부했어.

독일의 대학은
우리나라와는
좀 달라.

우리는 처음에 입학한 한 대학만 다니고
졸업하지만
입학
졸업

독일은 언제든지 자기가 원하는 대학으로
옮길 수가 있어.
이번엔
어디로
가볼까나~

이번 학기는 하이델베르크에서 공부하고 다음 학기는 베를린에서
2학년은 프랑크푸르트에서, 3학년은 하노버에서 공부할 수 있지.
이번에는
하노버 대학으로!

우리나라도
이렇게
할 수 있으면
좋을 텐데….

예링도 이 학교에서 저 학교로 옮겨 다니면서 공부했어.
뮌헨, 베를린, 괴팅겐 등에서
공부했지.
이 대학들은
독일뿐만 아니라
세계에서도 유명한
대학들이야.
뮌헨
베를린
괴팅겐

예링은 1844년에
베를린 대학에서
강사가 되었고
1845년에는 스위스
바젤 대학에서 정식으로
교수가 되었어.
그 후 여러 대학에서
교수를 하다가
1846년 로스톡
1849년 키일
1852년 기센
1868년 비엔나
1872년 독일의 유명한 대학인
괴팅겐 대학의 교수가 되어서
죽을 때까지 그곳에서 살았어.

비엔나의 귀족 대우를
뿌리치고
괴팅겐으로 온 것을 보면 예링은
괴팅겐이 좋았던 모양이야.
휘익
귀족
독일로
돌아가자!
괴팅겐
고향하고
가까운
곳이라서
그런지도
모르지만.

여러분은 혹시 독일 괴팅겐에
대해 들어 본 적 있어?
?
Göttingen

조그만 도시지만 수학, 음악, 철학,
법학, 신학, 과학 등 여러 방면에서
유수한 학자들이 공부하고
가르쳤던 아주 유명한 곳이야.

괴팅겐 대학에서 노벨상을
수상한 사람도 아주 많지.
ALFR. NOBEL
NAT. MDCCCXXXIII OB. MDCCCXCVI

독일을 여행할 기회가 된다면
괴팅겐에도 한 번 가 봐.
와! 여기가
예링이 법학
교수로
생활하다가 삶을
마친 괴팅겐
대학이구나.

여기서 잠깐 법에 대한
간단한 퀴즈 하나 내 볼까?
세계 3대 법전은
무엇일까?
누구
아는 사람?

저요!
세계 3대 법전은
바빌로니아 함무라비 법전,
유스티니아누스 로마법대전,
그리고 프랑스의
나폴레옹 법전이에요!
오오.
우와~

오~ 정답입니다.
참 잘했어요!
딩동댕
우헤헤..

나, 함무라비 법전!
기원전 1750년경에
제정된 고대 바빌로니아
법으로 세상에서
가장 오래된
성문법이야.

나, 유스티니아누스 법전!
로마법들을 모두 모아서
만든 법전이지.
Carpus Juris Cinils

나, 나폴레옹 법전!
나폴레옹이 공포한
법전이라고.

세계 3대
법전이니까
잘 기억해 둬.

예링은 로마법 전문가였어.
로마는 특히 법으로 유명한 나라였지.
로마법

그리스가 철학과 예술로 유명하다면 로마는 법과 길로 유명해.
'모든 길은 로마로 통한다.' 라는 말도 있잖아.
로마

로마는 그 당시 세계 여러 민족을 정복한 큰 제국이었어.
정복한 여러 민족을 쉽게 통치할 수 있게 법과 길을 만들어라!
그래서 로마는 법과 도로가 잘 발달했지.

로마는 군사적으로 잘 정비된 법치국가였다고 말할 수 있어.
물론 우리가 말하는 현대적 의미의 법치국가는 아니었지만.
법

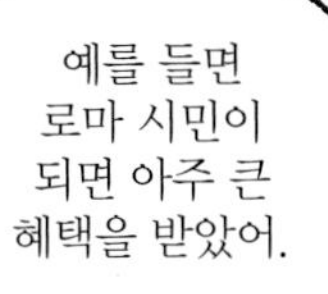
예를 들면 로마 시민이 되면 아주 큰 혜택을 받았어.

로마 시민

로마 시민은 로마법의 적극적인 보호를 받을 수 있으니까.
로마법을 따라라!
텅
로마 시민은 재판이나 정당한 절차 없이 함부로 매질할 수 없었어.
로마법

또 로마 시민은 자신의 권리를 보호받기 위해 황제에게 직접 상소하는 권리도 보장받았어.
저의 억울한 이야기를 들어 주소서.
로마 시민

성경에 보면 사도 바울이 유대인의 부당한 요구로부터 자신을 지키기 위해서 로마 시민권을 이용해서 직접 황제에게 자신의 재판을 호소하는 장면이 나오기도 해.
전도 활동 반대
황제께 직접 재판받기 위해 로마까지 왔나이다.
로마 시민
으흠~ 말해 보거라.
로마법

로마법을 공부하는 것은
유럽에서 법을 공부하는 사람에게는
중요한 일이었어.
반드시 공부 하도록!
로마법
네에!


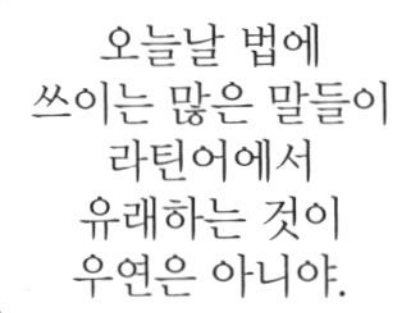

오늘날 법에
쓰이는 많은 말들이
라틴어에서
유래하는 것이
우연은 아니야.

pacta sunt servanda
(팍타 순트 세르반다)
약속은 지켜야 한다.


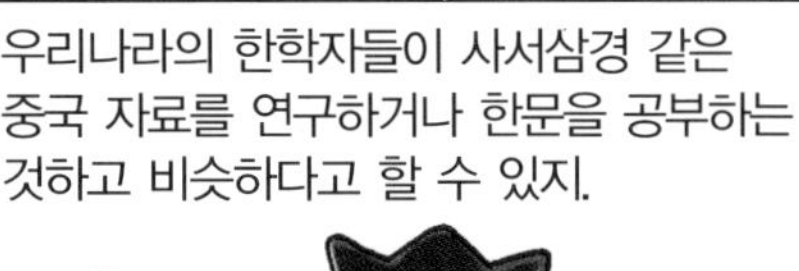

우리나라의 한학자들이 사서삼경 같은
중국 자료를 연구하거나 한문을 공부하는
것하고 비슷하다고 할 수 있지.

공자 왈
맹자 왈

오늘날 서양에서 법학과 의학을 공부하려면 라틴어가
필수이듯이 우리나라 법학이나 한의학에서는 한문이 필수잖아.
의학 용어도 한문
법학 용어도 한문이 많으니까요.
法學

실제로 법을 보면 한문이 너무 많아서
무슨 말인지조차 모르는 게 한두 가지가
아니야.
비약적 상고
거증책임분배의 원칙
방소 항변
의식재판
우리도 어서 법을 이해하기 쉬운 우리말로 바꿔야겠다.

독일은 여러 나라 중에서도 로마법을 가장
잘 연구한 나라로 유명했어.
로마법 하면 독일이지.
로마법

법학이 처음에 시작될 때는 법을 역사적으로
연구하는 것이 숙제였지.
오래전에 있었던 법이
어떻게 오늘날과
같은 법이 되었을까?


여러분도 지금으로부터
거의 4000년 전에 만들어진
함무라비 법전과
지금 우리나라 법 사이에
어떤 차이가 있을까
궁금하지?

우리나라도 고조선 시대에
8조 법금을 가지고 있었어.

8조 법금
1. 사람을 죽인 자는 사형에 처한다.
2. 남을 다치게 한 자는 곡식으로 갚는다
3. 도둑질한 자는 노예로 삼는다

여덟 개의 규칙으로
이루어진 아주
간단한 법이야.

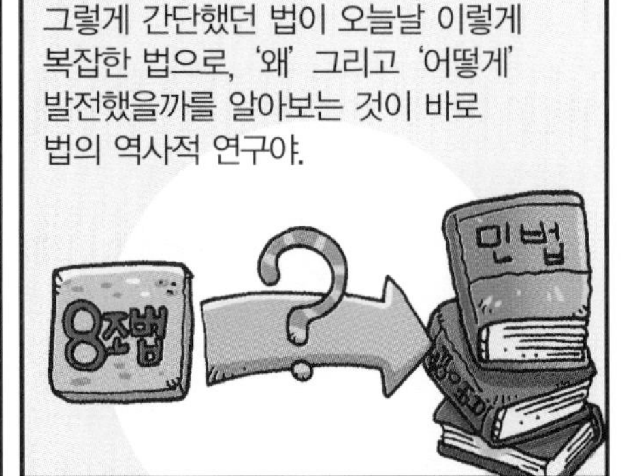

그렇게 간단했던 법이 오늘날 이렇게
복잡한 법으로, '왜' 그리고 '어떻게'
발전했을까를 알아보는 것이 바로
법의 역사적 연구야.
8조법
민법

처음에 서양에서 법을
공부하던 사람들도
그런 질문을 했어.
법의 역사를 연구해 보자.
법

그래서 자기들하고 가장 가까우면서도 훌륭한 법인
로마법을 연구하기 시작한 거야.
로마법
로마법은 그 당시에 아주 모범적인 법으로 많은 학자들이 연구했지.

우리는 흔히 이렇게 말하기도 해.
독일법은 로마법을 본받은 것이고
일본법은 독일법을 본받았다고.
로마법
독일법
독일법
일본법

오늘날 독일이 법학으로 유명해진 것도 바로 이런 전통 때문이라고 할 수 있지.
법

독일의 법학자 예링은 한마디로 짱이었어.
후끈 후끈
이런 강의라면 수백 번이라도 듣고 싶어요.
너무 감동적인 강의야.
강의는 언제나 학생 및 청강생으로 가득 찼고 법을 공부하는 학생뿐만 아니라 보통 사람들도 그의 강의에 열광했어.
모두 다 받아 적을 거야.

세계 각지에서 집까지 찾아오는 팬도
있었지.
와아
책에 사인 좀 해 주세요.

예링의 강의는 대학 안은 물론이고
대학 밖에서도 많은 사람들을 사로잡았고
재미없고 고리타분한 법학적 주제에
생생한 관심을 불러일으켰어.
어제 예링 교수님 강의 들었어?
지금 그 얘기 중이야.

예링의 연설은
세상을 흔들었어.

예링은 웅변하는 것처럼
우리 모두는 잘못된 법의식과
법사상에 대해서 용감하게
독립해야 합니다!

혹은 목사님들이 설교하듯이
법은 평화를 위해서
존재하며 평화를
유지하기 위해서도
투쟁이 있어야
하는 것입니다.

도덕이나 양심에 대해서 연설도
했어. 사람들은 그의 연설을
듣고 무척 좋아했지.

19세기 후반에 그가 누린 유명세는 대단했어.
요즘의 오빠
부대 같다고
할까?
우르르르~
예링
오빠~

1868년 오스트리아 비엔나에서 로마법을
강의하면서 그의 명성은 더 높아졌고

오스트리아 황실에서는 예링에게
귀족 칭호까지 주었어.
귀족

그러나 예링은 비엔나에 머물지
않고 1872년 독일의 괴팅겐으로
갔어.
바이바이~
비엔나

그리고 법의 철학적 기초를 연구
하기 시작했지.

이전의 법학자와 다른 법학자가 되려고 마음먹었어.
법철학
법사회학
이 때문에 사람들은
예링을 법학자 혹은
법철학자라고 부르기도
해. 처음으로 사회학적
으로 법을 연구했다고
해서 '법사회학의
아버지' 라고
부르기도 하지.

예링이 나타나기 전인 19세기
초는 법학자 사비니의
명성이 대단한 시대였어.

어흠~

사비니가 명성을 누리던 때인 1842년
예링이 스물네 살에 쓴 박사학위 논문은
아주 주목할 만한 것이었고,

박사논문

이어서 10년 뒤 1852년에
《로마법의 정신》이란
첫 번째 책을 내면서
로마법의
정신

예링은 사비니를 대신할
스타로 떠오르기 시작했어.
음~
헉

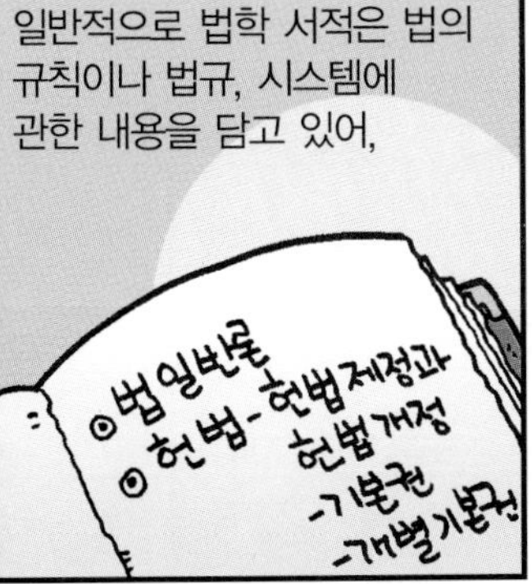
일반적으로 법학 서적은 법의
규칙이나 법규, 시스템에
관한 내용을 담고 있어,

법학 관계자들이 주로 읽기 때문에 법조계
밖에서 대중적 공감을 얻기는 쉽지 않았어.
어우~
법하면 어렵고
골치 아프고
피곤하다고.

하지만 예링이 쓴 《권리를 위한 투쟁》은 유럽의 법학도뿐만 아니라
평범한 사람들에게까지도 뜨거운 환영을 받는 특이한 일이 생겼지 뭐야.
하지만
예링의 책을
읽고는
법이
재미있어졌지~
권리를위한
투쟁
와아
와아

그만큼
예링의 명성이
대단했어.

예링은 글 쓰는
능력이 탁월했고

그가 연구한 법학의 이념이 아주
광범위하고 보편적인 관심을
끌기에도 충분했어.

이와 같이 예링은 법학에서 자기가 준비한
새로운 길을 열었어.
이야압!
아주
독창적인
사람이지?

당시 독일 대부분의 법학자들 사이에는 갈등이 있었어.

흥!
흥!

독일 민족주의자들과 로마법 학자 사이에 있던 갈등이었지.

빠직
빠지직
로마법

이러한 갈등을 해결하면서 새로운 관심을 불러일으킨 사람이 바로 예링이야.

예링은 무조건 로마법을 거부하지 않고

로마법

충분히 수용하고 인정하면서도

좋은 건 받아 들여야지.
!
로마법

동시에 그 당시 대부분 법학자들이 형식적으로 하는 법 행위를 공격했어.

징역 10년 형에 처한다!

예링은 인간의 목적과 관심을 무시한 채 법조문만 논리적으로 설명하려는 그러한 법학을 거부하고

너무해요! 빵 하나 훔친 건데….
난 법에 있는 대로 판결했을 뿐이야!
NO
척억

법은 역사 속에서 구체적인 목적과 관심에 근거해서 진화한다는 목적론적 입장을 제시한 거지.

개념법학
짜잔
목적으로서의 법학
푸욱

너무 어렵다고?

그래도 가끔은 어려운 말을 들어야 공부하는 맛이 나.
목적론적

그래야 새로운 것을 배웠다는 뿌듯함에 어깨도 으쓱해지지.
어려운 말
어려운 말

기분은 그런데 머리는 답답해요. 끄응~
지끈
그럼, 좀 더 쉽게 설명해 볼까?

법은 저절로 자라는 나무가 아니고
왜 계속 그대로지?
법

나의 관심과 목적에 따라서 발전한다는 뜻이야.
무럭무럭 자라라.
비료
법
법

책상 앞에서 생각만 하고 말만 하는 공허하고 무의미한 법해석에서 떠나
먼저, 법률 문헌의 의미를 확인해야 하거든.
기다려 보라고.
저 좀 도와주세요.

구체적인 목표를 가지고 행동하며 실천하며
무슨 일이니?
제 막대사탕을 빼앗아 갔어요!
골목대장
난 골목길 법대로 한 거라 문제없어!
골목대장은 물건을 빼앗을 권리가 있다!

나와 우리의 목적과 관심을 통해서 실현되고
부당한 골목길 법을 바꿉시다!
와아
와아

싸워서 얻어지는 법의 발전에 대해서 주장한 거지.
이제 바뀐 법에 따라야 해!
쳇!
골목대장
남의 물건을 빼앗을 수 없다.

정말
대단하지?

듣는 순간 가슴에 뜨거운 용기가 솟아나고 자신감이 생기지?
활활

그래서 예링의 주장은 법학도뿐만 아니라 외부 세계의 다른 지식인에게도 열렬한 지지를 받았고
우리의 권리를 쟁취하자!
법학의 불

그의 책은 다른 여러 나라에서도 큰 인기를 얻었어.
책 보러 왔어요!
우리나라에서도 책을 냅시다.
우리도요!
로마법의 정신
권리를 위한 투쟁
법학의 불

예링 자신은 로마법의 대가였고
로마법

법에 있어서 권위 있는 사람이었고
제가 쓴 논문 좀 봐 주시겠어요?
어디 볼까요?

학자로서도 훌륭한 사람이었지.
지금은 연구중
법조계의 1인자~
예링 선생님~

하지만 예링은 그 자리에 머무르지 않고
에잇!
1

권리의 본질에 대한 열정적인 연구로
잘 때만 빼고 연구하자.

새로운 법 제도의 건설을 위한 기반을 새롭게 다졌지.
법제도
새 돌로 다시 쌓아야 해.

창조적인 사람이 되려면 결코 편안하게 사는 데 만족하면 안 되거든.
성공
또 다른 목표를 향해 출발~
또 어디로 가는 거야?

예링의 시도가 없었다면 우리가 이 책에서 만나는, 열정적인 권리를 위한 투쟁의 법사상은 오랫동안 나오기 힘들었을지도 몰라.
법
법은 어렵고
무서워서 싫어.

사람들은 예링을 공리주의의 원리 위에서 자신을 법학을 세운 사람이라고 말해.
법학
made by 예링
공리주의

공리주의가 뭐냐고?

공리주의란 쉽게 말해서 인간은 쾌락과 고통이라는 두 본성에 의해 지배를 받는데

쾌락을 증대시키는 것은 옳은 것이고
둥실

고통을 증대시키는 것은 옳지 않다는 사상이야.
켁



대표적인 공리주의 학자 벤담은 이런 유명한 말을 했어.

법

최대 다수의 최대의 행복을 위해서 법은 존재하고 또 만들어져야 한다.
법

예링도 당시에 유행하던 법리 해석에 치중하는 개념 법학을 버리고
법 그 자체가 목적이 되어서는 안 돼!
법리해석
개념법학
공리주의의 원리 위에 최대의 행복을 위한 목적으로서 법학을 주장했어.
법
법은 여러분 모두의 행복을 위한 도구일 뿐입니다!
그래서 예링은 세계에서 가장 창조적인 법학자 중 한 사람으로 인정받는 거야.

예링은 죽을 때까지 부지런히 일했지.
강의하고 연구하고 책도 쓰고 바쁘다, 바빠~

하지만 그의 몸은 그의 놀라운 정신적 활동을 감당하기에는 역부족이었어.
아, 생각은 넘쳐나는데 점점 기운이 빠지네.
헉헉

안타깝게도 예링의 여러 가지 독창적인 아이디어들은

그의 죽음으로 인해 미완성으로 남았지.
아직 못 쓴 것들이 많은데….
데구르르

아! 너무 안타깝다.

우리가 공부하는 이 책은
그의 시대에 벌써 여러 나라의
언어로 번역되었어.
권리를 위한 투쟁

법학에서 예링의 업적은 오늘날까지도
강력한 영향력을 행사하고 있으며
법률의 목적은
평화이며
여기에 도달하는
수단은
투쟁이다.
중얼
중얼

법에 대한 여러 가지 질문이나 문제에
좋은 답이 되고 있어.
법은
왜 있는
거예요?
잠깐,
예링이
쓴 책에
쓰여 있거든.
뒤적
뒤적

예링이 정말 대단한
사람이라는
생각이 들지?
쑥스럽군

이제 예링에 대해 더 배우고 싶은
욕심이 생길걸?
끄덕
끄덕
반짝 반짝

예링 선생님은 여러분이 자신의 권리를
지킬 수 있도록 참된 가르침을 줄 거야.

자, 이제부터 예링과 함께 법에 대한
재미있는 이야기를 나눠 보자.

바로 《권리를 위한 투쟁》 속으로 들어
가서 말이야.
짜 잔~
권리를 위한 투쟁
오~
드디어!

그럼
출발!

# 로마법

로마법은 기원전 753년경 로마시가 수립되었다고 추정되는 때부터 1453년 비잔틴 제국이 멸망하기까지 존속했던 로마의 법체계를 일컫습니다. 로마법은 유럽의 대륙법에 크게 영향을 남겼으며 독일법을 통해 일본법에도 영향을 끼쳤습니다. 이런 로마법을 통합한 유스티니아누스 대법전은 함무라비 법전, 나폴레옹 법전과 함께 세계 3대 법전으로 알려져 있습니다.

초기 로마법은 12표법으로 알려져 있는데, 상아로 된 판(리비우스는 동판에 새겼다고 함)에 새겨 로마시의 광장에 세워졌는데, 세속법과 성법(聖法), 민사법과 형법을 포함하고 있었습니다. 초기 로마는 조그만 시 정도에 불과했기 때문에 모든 법은 주로 시민 상호 간의 행동을 규제하는 데 적용되어 오직 로마 시민과 로마와 동맹을 맺고 있는 나라 사람들에게만 적용된 이른바 시민법이었습니다. 시민법은 처음에는 불문법이었던 것이 로마가 부유해짐에 따라서 성문법의 지위를 갖게 되고 발전된 것입니다.

기원전 3세기 무렵부터 로마법은 로마 제국에 거주하는 사람들의 범위를 넘어서 주변에 있는 로마 제국의 거주자가 아닌 사람들에게까지도 확장되었습니다. 로마 시민과 로마 시민의 지위를 가진 자에게 해당하는 시민법에 외국인에게까지 적용되는 만민법이 첨가된 것입니다. 만민법은 처음에는 외국인과 로마 시민의 상업 행위를 규율했지만 점차 로마 제국의 모든 시민에게 통용되게 되었습니다. 만민법은 그리스 도시들과 다른 해양 국가들 간의 고도로 발전된 상업적인 법을 통합해서 로마의 경제적 요구에 부합하는 보편적인 법으로 적용되기 시작한 것입니다.

3세기 무렵부터는 로마의 지배하에 있는 모든 사람들에게 사실상 시민권을 주었기 때문에 외국인과 로마인의 구별이 사라져 버렸고, 따라서 실제적인 목적에서 시민법과 만민법의 구별도 사라지게 되었습니다. 그럼에도 구별은 있었는데 시민법은 입법에 의해서 제정된 법이었지만, 만민법은 법무관의 고시로 효력을 가졌습니다.

대 로마 제국이 수립되고 난 후에는 법의 발전이 주로 황제의 손으로 넘어가게 되면서 여러 가지 법령이 제정되어 로마법은 이제 더욱 복잡해지고 다양해졌습니다. 4세기쯤엔 로마의 법이 아주 많이 발전되었고, 황제의 명을 받은 훈련된 법률가들이 법을 해석하는 일이 생겨났으며, 그들의 해석도 법적 권위를 갖게 되었습니다. 이렇게 발전된 법령은 다양한 요구에 부합되었고 지역적 관습에도 잘 적용되었습니다. 그러나 법들이 거대해지면서 서로 모순되고 불필요한 것들이 많이 포함되어 로마법은 혼란을 겪게 되었습니다.

복잡해진 로마법을 통합하려는 시도가 5세기까지 여러 차례 있었는데 콘스탄티노플의 유스티니아누스 황제가 이 작업을 아주 성공적으로 마쳤는데, 이것이 오늘날 유스티니아누스 법전이라고 부르는 것입니다. 유스티니아누스 황제는 529년 법전을 공포하였고 여기에 수록되지 않은 모든 법은 폐기시켰습니다.

MAXIMIANVS
▲ 유스티니아누스 황제와 수행원들

르네상스 시대에 로마법은 고전에 대한 연구가 활발해지면서 근대 시민법으로 세계의 많은 지역에서 부활하게 되어 오늘날 세계 각 나라에서 법을 만들 때 큰 바탕이 되었습니다.

# 제3장 법에 대한 서론

법

오늘날 법이 없는 우리 삶은 생각도 할 수 없어.
법

우리가 의식을 못하고 있을 뿐이지,
푸우우

우리의 모든 행동은 직접, 간접적으로 법과 관련을 맺고 있어.
빵
빵
퉤!
쌔앵~
공중도덕법 위반.
도로교통법 위반.

큰 서점에 가거든 법학 서적 코너를 한 번 둘러봐.
법학코너

이름도 들어 보지 못했던 수많은 법이 있다는 걸 알 수 있을 거야.
뭐가 이렇게 많아!

우리가 자주
듣는 법들을
한번 볼까?

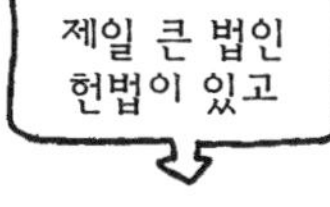

제일 큰 법인
헌법이 있고

헌법


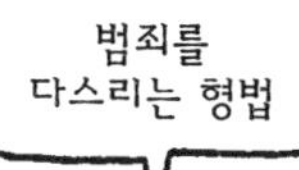

범죄를
다스리는 형법

형 법


사람들끼리
분쟁을 해결하는
민법

민법


장사에 관한
상법

상 법


형사 소송법

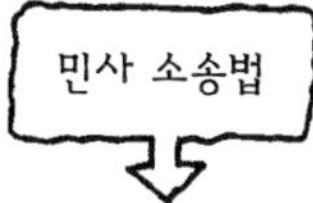

민사 소송법


건축하려면
건축법

집 사고 파는 데
부동산 매매법

병원과 의사에게는
의료법

형사 소송법
소장

민사 소송법
소장

건 축 법

부동산 매매법

의 료 법


약사들에게는
약사법

은행에게는
은행법


공무원에게는
공무원법

학교에는
학교법

운전하고 가는 데는
도로교통법

약사법

은행법

공무원법

학교법

도로교통법


국회에는
국회법

정부에는
정부법

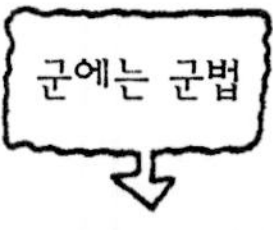

군에는 군법


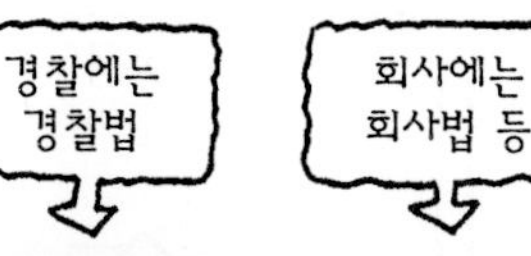

경찰에는
경찰법
회사에는
회사법 등


국회법

정부법

군 법


경찰법

회사법


우리의
의식주에서부터
거의 모든
사회생활 전반에
걸쳐 관련
법규가 있어.

허헉!!!

여러분 중에도 판사나 검사 등 법을 집행하는 직업을 갖고 싶은 사람이 있을 거야.

그러려면 법을 잘 알아야 되고, 법 공부도 많이 해야 하는데, 사실 법 공부가 쉽지 않다고 해.

그리고 법을 공부하기 전에 도대체 법이란 무엇이고 법은 왜 존재하는가 하는 근본적인 질문을 해 보는 것도 필요해.

불의와 싸우고, 나쁜 사람들을 다스리고, 그리고 착한 사람들을 보호하고, 국가와 사회를 지키고….

우리는 법이 무엇인지에 대해 바로 대답하지는 못해도 '법' 하면 왠지 좀 거창하고 정의롭다는 생각이 들지 않니?
우와~ 멋져요~!
쳐엿!
법
불법

그런데 법은 어떻게 이런 일들을 할 수 있을까?

법

그리고 셀 수 없이 많은 법규는 도대체 '왜, 어떻게' 생겨난 걸까?

너무 너무 많아~

법이 없으면 어떤 문제가 있기에 사람의 행위가 발생하는 곳에는 법이 생기게 될까?

뾱~!
법
어~ 또 생겼네!

사회나 국가는 개인이 모여서 만들고,

국가

각 사람들의 행동은 결국 다른 사람에게 영향을 끼치게 돼.

혼자 산다면 법이 필요없겠지만, 한 행위가 다른 사람에게 영향을 끼치게 되면 사회적 행위가 발생하게 되지.

사회적 행위에서, 개인의 자유와 권리에 대한 욕구는 실제로 그가 누릴 수 있는 것보다 크기 마련이야.

최대한 더 많이
가져야지!

그렇게 되면 개인의 권리와 자유는 반드시 다른 사람의 그것과 충돌할 수밖에 없어.

악!

이렇게 되면 권리는 제한되어야 하지.

서로 여기까지만 가져갑시다.

권리 제한은 모든 사람에게 공정하고 평등해야 하기 때문에 누구 마음대로 한다든지, 누구에게 더 이롭게 한다든지 하면 안 되겠지?

선생님이나 부모님이 자기 마음대로 하면 여러분도 불평불만이 생기잖아.

쉬어도 좋아~
넌 안 돼!
왜 나만!

약간 유식하게 표현해 볼까?
자유에는 책임이 따르고
권리에는 의무도 있게 마련이다.
에헴
자유
책임
권리
의무

자유와 책임, 권리와 의무에 대한 규정을 정할 때, 모든 사람이 공평하게 적용받도록 해야 하는 요구가 필연적으로 생겨.

우리 모두에게 똑같이 나눠 주세요!

이런 요구가 국회나 정부 및 공인된 기관을 통해 규칙으로 정해져 공포되면 법률로 인정되는 거야.

이대로 나눠 주세요!
한 칸에 하나씩~!

그리고 그 후 법률에 저항하는 모든 행동에 대해 불법으로 규정하고 강제 및 처벌을 하는 거지.

다시 제대로 받아오시오!
법

이러한 법을 보통 실정법이라고 불러.
실정법

어떤 법이든지 법이라면 그 본질상 불법을 용납할 수 없으니, 불법에 대한 법의 싸움은 이미 시작된 거지.
법
법을 따르면 보호해 주지만 법을 어기면 그에 따른 벌을 줄 것이다.

법이 존재하는 한 불법의 도전은 멈추지 않고 반대로 불법의 공격이 있는 한 법의 싸움도 멈추지 않아.
퍽 퍽
불법
법
영원히 싸워 주마!

앞에서 열거한 여러 가지 법들은 처음부터 있던 것이 아니라 과거 혹은 현재에 생겨난 법이야.
주물럭~
주물럭
법이란 사람에 의해 만들어진 것이니까.

오늘날 우리가 가지고 있는 법들은 삼국시대나 고려시대 및 조선시대에는 거의 없었던 법이지.
이것은 무엇에 쓰는 법인고….
컴퓨터 프로그램 보호법
?

그리고 삼국 시대나 고려 시대에도 법은 있었지만
친척 간에 같은 부서에서 벼슬하는 것을 금하노라!
法

지금은 역사 책에서나 볼 수 있을 뿐, 효력은 없어.
옛날에는 나도 잘 나갔는데….
法

지금 우리가 살고 있는 시대가 과거와는 비교할 수 없을 만큼 달라졌기 때문에 법도 그만큼 많이 변한 거지.
완전히 다른 세상이구먼.
法
법

예를 들면, 옛날에는 왕이 있었고 왕자에게 왕위가 세습되었지만,
왕 자리를 물려받을 세자이니라.

지금은 대통령이 있고, 선거로 선출하고 있으니 완전히 다르지.
다음 대통령도 선거로 뽑을 거예요.
투표용지

이렇게 생활이 다르니 법도 당연히 달라졌어.
法
법
변화

물론 예전 법의
내용 중 오늘날도
여전히 효력을 가진
조항도 있어.

예를 들면 도둑질이나 살인을 금지하는 법은 지금 현재 우리 법에서도 타당하니까.

절대로 영원히
안 되느니라!

주로 인간의 자연권에 관련된 도덕적인 법이나 형법 등은 고대부터 지금까지, 또 어느 시대 어느 민족의 법에서나 공통적으로 나타나.

사람은 나면서부터
자유이며,
평등할 권리를
가진다.

즉 법은 어느 시대에나 있었으며 그 법은 그 시대에 생겨난 것이고 시대가 변하면 법도 변한다.

우리는 이제
하나는
확실히 말할 수
있어.

역사 속에서
수많은 법들이
생겼다가 사라진 거지.

사람이 산다면, 어느 곳 어느 시대에나 법이 있었고, 그 법은 그 시대를 사는 사람들에 의해 만들어지고 실행되다가

법
법

시대가 변하면 법도 변하고,

한 시대가 가고 다른 시대가 오듯이 법도 사라지고 새로운 다른 법이 생겨나지.

여기에
잠들다.
법

법 관찰기

이것은 아주 단순한 관찰이지만 인간과 세계를 이해하는 데 아주 중요한 관찰이야.

우리는 이러한 관찰의 결과를 역사라고 불러.

역사
쓱쓱 쓱쓱

진리란 관찰에서 얻어지기에 역사를 아는 것은 중요해.

진리를 찾는다면
이걸 읽어 봐.
와~
역사

법을 보는 관점에
따라 법철학적 견해가
조금씩 달라.
법
법

한편으로 법은 이와 같이 역사 속에서 생겨나고 사라지고 역사와 함께 변화하고 발전한
다는 것이 우리가 관찰할 수 있는 사실이라면,
법은 사람들의
필요에 따라
변하고 발전하는
거야!
맛나 고기점
생등심 - 28.000
갈매기살 - 10.000
왕갈비 - 9.000
원산지 표시제
법
맛나 고기점
생등심 - 28.000
(국내산 한우)
갈매기살 - 10.000
(국내산)
왕갈비 - 9.000
(캐나다산)

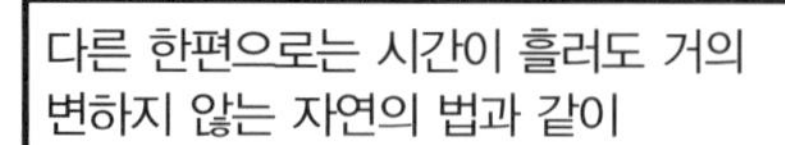
다른 한편으로는 시간이 흘러도 거의
변하지 않는 자연의 법과 같이

아침이 되면
해가 뜨고

밤이 되면
달이 뜨지!

어느 곳에서나 타당한 것으로 인정되는
그런 법도 생각할 수 있겠지?
모든 국민은
인간으로서의
존엄과 가치를
가지며,
행복을 추구할
권리가 있다.
권리
법

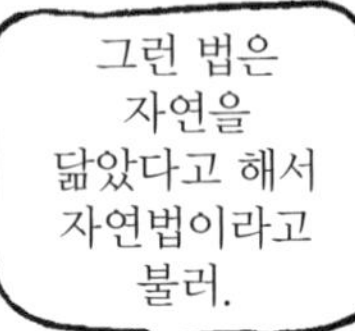
그런 법은
자연을
닮았다고 해서
자연법이라고
불러.

나?
자연법학자
자연법

또 다른 법은 하나님이 모세에게
시내 산에서 계시로 준 십계명처럼,

신이 정해 주신 법이라는 뜻으로
신정법이라고 부르지.

법의 종류도 꽤 많지?
자연법
신정법
실정법
끙~

그래도 조금씩
배우다 보면
자연스럽게 알게
될 거야.
에효~

'천리 길도 한 걸음부터', '티끌모아
태산'이란 속담처럼 말이야.
척!
짠~

아무리 어려운 것이라도 사람이 한 것이라면,
우리도 사람인 이상 다 할 수 있어.
자, 용기를 가지고
다시 도전해 보도록!

이제는 법이 왜
있는지 생각해
볼까?
넌 도대체
왜 있는
거니?
법

사람이 있는 곳이면 예외 없이 의사가 있는
것처럼 법도 마찬가지야.
법
졸졸졸…

왜 사람이 있는 곳에는 반드시 병원과
의사가 있을까?
정말 몰라서
묻는 거예요?
질문이
너무
쉬웠나?

하지만
좋은 질문은
좋은 답을
찾게 하지.

그러니까 좋은 답을 얻으려면
좋은 질문을 해야 돼.
질문이 있는 곳에는
반드시 답도 있기 마련이거든.
답

공부를 잘한다는 것은 바로 좋은 질문을 가지고 있다는
것을 말하고 공부를 열심히 한다는 것은 좋은 답을
찾으려고 노력한다는 것을 말해.
답

다시 한 번, 왜 사람이
있는 곳에는 의사나
의술과 병원이 필요할까?
척억

음, 그건 사람이 사는 곳에는
반드시 병이 있고 아픈 사람이 있기
때문일 거예요.
으흑~심장이…!

맞아. 아픈 사람이 있다면 그 사람을
아픔에서 구하려는 사람도 있지.
정신 차려요!
하나 둘!
하나 둘!

즉, 사람이 사는 곳에는 병이 있고 아픈 사람이 있기 때문에,
병을 막고 아픈 사람을 치료하려는 사람도 필요해.
감기
감기
콜록
콜록!
아우우우~~
감기 때문에
죽겠어.

의사는 병을 막고 병자를
치료하는 사람이지.
감기
예방약

그럼 이제, '왜 사람이 있는 곳이면
법이 있는가' 라고 물어보도록 할까?
아하!
왜 의사가 있는지에 대답한 것과
마찬가지로 왜 법이 존재하는가도
대답할 수 있을 거야.
법
병
치료
답

병과 병자가 존재하기 때문에 그 병과 싸우는
의술과 의사가 있는 것처럼,
병
의술
으~
아파요!

죄와 불법이 있기 때문에 또 그 죄와 불법과 싸우는 법이
있는 거야.
법
서라~!
으윽~!
죄
불법
도둑이 있기
때문에 도둑을
잡는 경찰이
있지요.

법이 존재하는 것은 불법이 존재하기 때문에
그 불법과 싸워서 불법을 막기 위해서라는 것을
알 수 있겠지?
나는 존재한다.
너와 싸우기
위해서!
불법
법

사람이 사는 곳이면 어김없이 죄와 불법이 있으므로
그 죄와 불법을 막는 법도 생겨나는 것이지.
썩 나가지
못해!
법
감히 어딜
들어오려고!
법

그러니 '왜 의술과 의사가 존재하는가' 라고
물으면, 병을 막고 아픈 사람을 치료해서
건강과 행복을 지켜 주기 위해서라고
대답할 수 있다면,

건강
행복

'법은 왜 존재하는가?' 라고 물으면 법은 죄와 불법을 막고
사람의 행복과 권리를 지켜주기 위해서라고 대답할 수 있겠지?
지켜 줄게!
법
권리
행복

의사가 존재하는 이유와 판사나 검사 및 경찰이 존재하는 이유가 같은 거지.
우리는 비슷한 이유로 존재하지요.
검

병원이 있는 것처럼 재판소도 있고 감옥도 있는 거야.

병원이 병을 예방하고 치료하는 곳이라면 감옥은 불법을 막고 불법을 치료하는 곳이지.
다 사람을 위한 거야.

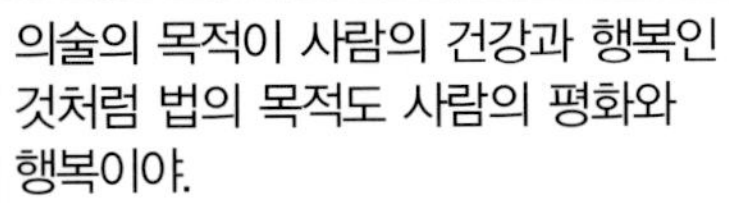
의술의 목적이 사람의 건강과 행복인 것처럼 법의 목적도 사람의 평화와 행복이야.

법

이런 말을 들어 본 적 있을 거야.
저 사람은 법 없이도 살 사람이다.

그 말이 무슨 뜻인지 알아?

'법 없이도 살 사람' 이란 법이
필요 없는 사람이라는 뜻이야.
아,
잘먹
었다.
여기
계산이요.

즉 그 사람은 너무 착해서 불법을
모르는 사람이니
어!
아무도
없네.
크크크~ 그냥
가. 공짜로
먹고, 좋잖아.

그 사람에게는 불법을 막는 법은
필요 없다는 그런 말이겠지.
뭐야? 이런 좋은
기회를 스스로
버리다니!
어흠~
불법
사장님이
자리를 비워서
돈을 두고 갑니다.

만약 이 세상 사람이 다 이같이
불법을 행하지 않는다면
법은 세상에서 사라지겠지?
내가
필요 없을
거야.
스스스~

이 세상에 어떤 병도 존재하지 않고
환자도 없다면 의술이나 의사도
필요 없는 거처럼 말이야.
폐업
다른
직업을
찾아봐야
겠는걸.

그래서 병이나 아픈 것이 없고
죄나 불법이 하나도 없는 곳을
우리는 천국이라고 해.

불행하게도 사람이 이 세상에
사는 동안에 결코 병이
사라지지 않는 것처럼
병
병

죄와 불법도 사라지지 않아.
낄낄낄-
크크크-

그래서 의술과 법도 반드시 있는 거지.
이놈들!
의술
법
히익-!

'법 없이 살 사람' 이란
뜻과 반대로 '무법천지' 란
말이 있어.

無法天地

법이 없어서 불법이 천지에 가득하다는 말이지.
생각만 해도
두렵고 불행한
삶이야.

법이
없다면?
음…. 법이 없으면
불법과 싸울 수가 없어요.
우리에게는 반드시
법이 필요해요!

온 세상이 불법으로 가득 차면 평화와 질서는 망가지고 사람들은 행복할 수가 없어.
으~
상상하기도
싫어요.
가짜 주사약 맞은
우리 아기가
죽어가요.
으흐흑~
불법
커헉! 음식에
공업재료를
쓰다니….
믿고 먹을 게 없어!

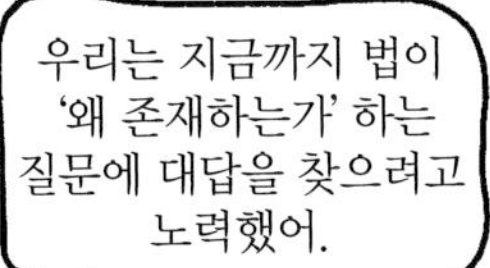
우리는 지금까지 법이
'왜 존재하는가' 하는
질문에 대답을 찾으려고
노력했어.

물론 이 대답이 유일한 답은 아니지만 법은 무엇인가 하는 질문에 대한 답을 시도하는 하나의 좋은 예가 될 수도 있다고 생각해.

답
법은 죄와 불법을
막고 사람의
행복과 권리를
지켜 주기 위해서
존재합니다.

다른 모든 질문에도 이런 식으로
접근해 보도록 해 봐. 논술도 바로
이런 훈련 과정이라고 할 수 있지.
병
불법
법

법과 의술은 이렇게 비슷하지만 항상 같지는 않아. 이렇게 비슷한 것과 다른 것을 잘 구분하는 것이 중요해.

으흠…

비슷해 보이는데 전혀 다른 근거를 가진 것이 있고, 보기에는 완전히 달라 보이는데 알고 보면 같은 원리에 근거하고 있다는 것을 빨리 알아채는 사람이 말하자면 천재야.

그냥 봐서는
전혀 모르겠어요.

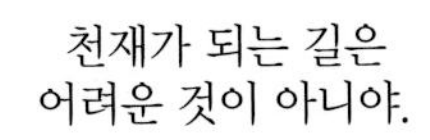
천재가 되는 길은
어려운 것이 아니야.

천재
정말요?

많은 경험과 독서는 이런 구분을 잘하도록 도와주지.
사회봉사
활동
배낭
여행
아르바이트
해보기
헉!
좀 더
빠른 방법은
없나요?

가만히 생각해 보면
법과 의술은
좀 달라.
법

의술은 어떻게 살면 건강하고 어떻게 병을 막을 수 있고, 병에 걸리면 어떻게 하라고 가르쳐 주지만,

폐가 완전히 망가졌어요.
당장 담배를
끊으세요!
헉!

우리가 어떻게 살도록 강제로 명령하지는 않아.

담배 피우지 못하게
강제로 막을 수는
없으니까.
오늘까지
만….
끄응~

하지만 법의 경우는 달라.

내가 말한 것은
반드시 지켜야만
하지!
법

모든 시대의 법은 그 시대의 사람이 지켜야 하는 의무와 누릴 수 있는 권리를 포함하고 있어.

국방의 의무
근로의 의무
납세의 의무
교육의 의무
생존권
자유권
평등권
참정권
법
법에
따라야 하는
것들.
법이
보호해 주는
것들!

또 권리란 것은 싸워서 얻어지는 것이라는 거지.

권리
권리는 거저
주어지는 것이
아니라 투쟁해서
얻어 내야 하는
거야!

물론 법은 일차적으로 권리의 보상이지. 권리가 없다면 의무도 없을 테니까.

권리
법
법이
보호해
줘요.
의무

만약에 법이나 국가가 없다면, 이런 싸움에서 결국 힘이 센 사람이 약한 사람을 이기고 자기 마음대로 할 거야.

크크크~ 니 권리는
내가 가지마!
흑~ 보호해
주는 법이
없으니까….

홉스가 말한 '만인에 대한 만인의 투쟁' 이 생각나지?

더 많은 권리를
가지기 위해서
모두 싸우는
거지.

혹은 동물의 세계에서 보는 약육강식*의 삶이 될 수도 있고.

컥
크르르
르르~

***약육강식** – 약한 자가 강한 자에게 먹힌다는 뜻.

사람은 동물이지만 단순한 동물이 아니기에
크릉~
힘에 지배 받으며 살 수는 없지.

자유와 함께 책임을, 권리와 함께 의무를 병행함으로 질서와 행복으로 세워진 더불어 사는 사회를 만드는 거야.
안전하게 살 수 있는 사회를 만들자.
사회 속에서 살아가는 사람에게 꼭 필요한 것들이야.
자유
권리
책임
의무
사회

이러한 사회를 유지하는 데 가장 중요한 것이 법이고
여기에 쓰인 것들을 잘 지키면 싸울 일은 없을 거야.
법
권리

법과 함께 법을 실행하는 정부나 기타 사회 기관도 생겨나지.
법을 만들고 사용하는 것을 도와줄 거야.
법원
국회

이제 법이 무엇이고 왜 중요한지 어느 정도 이해가 되지?
법은 나의 권리를 보호해 줘요!
권리
권리
법은 불법을 막아 줘요.
법은 새로운 삶의 부분이 생겨나면 새로 만들어지기도 하죠.
탁탁 탁

법이란 법전에 기록된 규칙 덩어리가 아니라 싸워서 얻어진 권리라는 것에 도달했네.
내가 바로 투쟁의 역사인 셈이지.
권리
법

이제 《권리를 위한 투쟁》을 읽을 준비가 끝난 것 같군.
자, 이제 본격적으로 들어가 보자!

# 홉스의 '만인에 대한 만인의 투쟁'

LEVIATHAN
▲《리바이어던》 표지

홉스는 영국의 정치 철학자로서 사회 계약에 대한 주장을 처음으로 시작한 사람입니다. 그의 저서 중에 가장 잘 알려진 것은 《리바이어던》입니다. 리바이어던은 성경의 욥기에 나오는 아주 무서운 동물로, 사람의 힘으로 제어할 수 없는 엄청난 괴물 같은 존재로, 우리가 용이라고 부르는 것과 비슷합니다. 홉스는 《리바이어던》에서 국가를 리바이어던이라고 불렀습니다. 왜냐하면 그는 혼란을 막고 평화를 유지해 줄 수 있는 강력한 존재를 원했기 때문입니다.

홉스는 인간은 모두 자신의 권리를 주장하려는 욕구를 가지고 있다고 했습니다. 이러한 점에서 모든 인간은 자연적 상태에서 평등합니다. 그러나 그 욕구는 실제적으로는 충족될 수 없습니다. 인간의 삶은 자연적 상태에서는 국가도 없고 법도 없고, 군대도 없고 다른 아무런 제도도 없기 때문입니다. 사람은 각자 자기의 권리만을 주장하게 되고 점차로 권리에 대한 요구는 서로 부딪치고 마침내 모든 사람이 모든 사람에 대해서 싸우는 상태가 생겨납니다. 홉스는 이러한 모습을 묘사해서 '만인에 대한 만인의 투쟁'이라는 유명한 말을 했습니다.

모든 사람이 모든 사람에 대해서 싸워야 한다는 것은 피곤한 상태입니다. 자기 주위의 모든 사람을 적으로 생각하고 살아야 한다면 얼마나 불안할까요? 이 상태에서 몇몇 소수의 사람들은 강하고 용감하겠지만, 보통 사람은 대체로 약하고 두려움이 많고 지혜롭지도 못합니다. 이런 상태에서 사람들은 대체로 자신의 죽음과 고통에 대한 두려움을 갖고 삽니다. 결국 고통과 죽음의 불안에서부터 자유롭게 되기 위해서 사람들은 서로 계약을 맺고 국가를 만들어 자신의 모든 권리를 국가에 반납하고 그 대신 국가는 사람들이 무서워하는 것으로부터 그들의 생명을 지켜 주는 일을 하게 됩니다. 이렇게 사회계약으로부터 생겨난 것이 리바이어던, 즉 국가입니다. 따라서 국가는 이러한 만인이 서로 투쟁하는 무질서와 혼돈 상태를 평화롭게 다스려야 할 의무를 가지는 것입니다.

홉스가 살던 당시의 국가 통치자는 군주였습니다. 군주가 플라톤의 철인처럼 도덕적인 정치가요 공자나 맹자가 말하는 성군이라면 다행이겠지만 히틀러 같은 악랄한 독재자라면 얼마나 비참한 일이 생길까요? 이런 경우에는 만인에 대한 만인의 투쟁을 해결하고 나를 지켜 줄 국가에게 나의 권리를 반납했지만, 국가 권력은 더 잔인하고 무서운 괴물처럼 변할 수 있습니다.

예링은 법은 역사적인 법이고 그러한 법에서는 선과 악을 구별하는 절대적인 기준이 없기 때문에 법이란 일시적인 도구일 뿐이고 무정부 상태의 극렬한 권리 투쟁을 만들어 낼 수도 있다고 생각했습니다. 따라서 독재국가에서 법은 대체로 인간의 권리를 억압하는 수단으로 이용됩니다.

그래서 예링은 권리를 위한 투쟁이 건전한 투쟁으로서 독재와 불법으로부터 사회를 보호하는 힘이 될 수 있기 위해서는 각 개인이 자신의 권리를 위해 투쟁할 수 있고 자유롭고 공정하게 경쟁할 수 있는 개방사회가 유지되어야 한다고 주장했습니다.

# 제4장 법의 목표는 평화다

《권리를 위한 투쟁》에서 예링이 한 말 가운데 아주 중요한 말은 바로 이거야.
"법의 목표는 평화요 법의 수단은 투쟁이다."

법이 목표로 하는 것은 평화, 즉 질서의 상태야.
평화
법

시끄럿!
으악! 여긴 법도 없나요?
온갖 불행이 행해지고 세상이 어지럽고 살기 힘든 때 우리는 이런 말을 하곤 해.

경찰이 법을 제대로 집행하지 못하면, 세상에는 도둑, 강도, 깡패 등 온갖 불법들이 난동을 부리고 시민들은 살기가 무서워지고 힘들어져.
아우~ 졸려.
쿠울~
불법
꺄악~
우히히히~

반대로 법이 그러한 불법을
제대로 다스리면
멈추지
못해!
불법

다시 질서 있고 평화로운 삶을
누릴 수 있지.
분명히 졸고
있었는데….
이제야
마음 놓고
살 수 있겠네.

그래서 사람들은 법이 정당하고
강력하게 모든 불법을 분명하게
다스려 주기를 기대하는 거야.
파악
법
꼼짝
마라!

앞에서 본 것처럼 법이 존재하는 이유는
불법이 있기 때문이고 불법과 싸워서 불법을
다스리기 위한 것이듯,
법

법의 목표는 바로 평화 즉 세상의 모든 불법을 다
몰아내고 세상을 정의와 질서 위에 보존하는 거지.
법
정의
질서

하지만 애석하게도 세상이 존재하는 한, 인간이 존재하는 한 불법은 쉬지 않을 것이고,
마찬가지로 평화를 이루려는 법의 힘든 싸움도 쉬지 않을 거야.
너희 불법 행위에게
법의 심판을
내리겠다!
강도죄
아동 학대
부패 행위
법

아무리 어렵고 힘든 싸움일지라도, 결코 끝나지 않을 싸움일지라도
법은 자신의 목표인 평화를 위해서 명예로운 싸움을 계속할 거야.
평화
불법
법

힘내라고!
으샤~으샤~

혹시 이런 질문을 하고 싶은 사람이 있을지도 모르겠군.

도대체 법이 이루고자 하는 그 평화란
어떤 것일까? 평화가 무엇일까?
평화
법
꼭 이루고 말 테다!

너무 자주 들어서 잘 아는 것 같지만
막상 평화가 무엇이냐고
물으면 대답하기 쉽지 않아.
당신이 생각하는 평화란?
그… 글쎄요.

한번 생각해 봐.
어떻게 평화를 가장 알기
쉽게 설명할 수 있을까?
흐음~
평화

법의 목표가 평화라고 했으니, 평화가 무엇인지 알아야
법이 무엇을 목표로 하는지도 잘 알 수 있을 테니까.
법
목표
=
평화
넌 도대체 뭐니?

평화란 말은 개인에서부터
인류나 세계에까지 다 사용되는
말이지.
세계 평화를 위해서!
난 평화주의자!

예를 들어 "나는 지금 아주
평화롭다."고 말할 수도 있고,
룰루루~

"온 세상에 평화가 가득하다."고
말하기도 하고,
룰루루

"지금 어떤 두 나라는
평화롭다."고
말할 수도 있고.

"나는 평화롭다."고 하면 아무런 걱정거리나 고통이 없다는 것을 의미하고,
"두 나라가 평화롭다."고 말하면 두 나라가 전쟁을 하지 않고
서로 잘 지내고 있다는 뜻이지.
마음에 근심이 없어요.
NOWAR

쉽게 말하면 평화란 서로 싸우지 않고 잘 지낸다는 뜻이야.
싸움 같은 거 몰라요.
법의 목표는 바로 이러한 상태라는 거지.
목표

법의 목표는 사람들이 서로 싸우지 않고 문제를 공정하게 해결할 수 있는 평화의 길을 보여 주는 거야.
법
평화

서로 자기가 옳다고 주장하다가 마침내 주먹다짐으로 가는 경우가 종종 있지?
내 말이 맞다니까!
퍽

학교에서도 친구들과 서로 옳다고 목소리를 높이다가 다투기도 하고
너가 아까 반칙 했잖아!
내가 언제?

형제들하고도 그렇고.
내가 먼저 가지고 놀 거야!

만나기만 하면 서로 싸우면
평화롭다고 할 수 있을까?
아니요.
씩씩

누구나 다 형제자매나 친구, 다른 지방 사람들, 더 나아가서 다른 나라 사람들과 서로 싸우지 않고 사는 것을 좋아해.

하지만 여러분도 알고는 있지만 실제로 그렇게 지내기가 쉽지는 않잖아.
우리 앞으로는 사이좋게 지내자!
이 빵 같이 먹을래?
좋아~ 똑같이 나눠 먹자.

우리가 서로 얼마나 쉽게 싸우는가를 생각해 보면 평화가 쉬운 일이 아니라는 것을 알 거야.
똑같이 나눠 먹자더니, 니 빵이 더 크잖아!
무슨 소리야. 오히려 내 빵이 더 작다고!
쯧쯧

싸움은 우리가 바라는 평화를 부수고 말아.
퍽
퍽

서로 싸우지 않고 잘 지내고 싶은 마음이지만 실제로 우리는 너무 쉽게 싸우지.
원래는 빵 나눠 먹으면서 화해하려고 했던 건데….

평화를 바라지만 평화가 그렇게 쉽게 찾아오지 않는 거지.
히히~
평화는 마치 거미줄 같아서 얼마나 쉽게 망가지는지….

사람이 사는 곳에는 갖가지 분쟁이 있어.

안타까운 일이지만 형제끼리도 재산 때문에 분쟁하고
난 장남인데 좀 더 가져가야겠어!
어머님 모시고 산 건 바로 저라고요!
이 녀석들! 나 아직 살아 있다.

각 지역 간에도 서로 자기 지역을 지키려고 분쟁하고,
물길을 막아 버리면 어떡해요!
우리 동네에 쓸 물도 부족하다고!

국가 간에도 분쟁이 있어.

국가 간의 분쟁을 우리는 별도로 전쟁이라고 불러.
전쟁이다!

법은 평화를 유지해 줘. 즉, 싸움 혹은 분쟁을 막거나 분쟁을 쉽게 해결해 주기도 하지.
워워~
다른 방법으로 해결합시다.
법

싸우지 않는 것이 가장 좋겠지만, 그것이 어려우면 말로 서로 자신의 입장이 정당하다고 설득하는 방식을 쓸 수 있지.
각자 무기는 내려놓고
평화롭게 해결해 보자고요.
법
정전 협정

만약 사람들이 자기의 생각이 옳다고
힘과 주먹, 무기를 써서 설명하려고 한다면
얼마나 무서운 세상이 될까?
오 마이 갓!
911 테러

매일 눈만 뜨면 전쟁하는 나라의 국민들은 얼마나 배고프고 헐벗고 힘들겠어?

전쟁이 일어나면 사랑하는 가족이나 친구들도 빼앗기고, 하고 싶은 것도 할 수 없고, 언제 죽을지 항상 두려워하면서 살아야 하니 얼마나 무섭고 비참하겠어?
콰쾅
아버지는 전쟁터에 나가셔서 소식이 없어.
덜덜덜
학교는 폭격으로 무너져 버렸어.
영수도 진희도 총격으로 죽었어.
으흐흑~ 하루하루가 너무 무서워.

여러분은 혹시 《안네의 일기》를 읽어 본 적 있어?

이 책은 제2차 세계 대전 당시 독일 나치의 점령 하에서 숨어 살다가 죽은 안네라는 유대인 소녀의 일기야.
은신처에 사는 우리 여덟 명은 마치 검은 먹구름에 둘러싸인 작은 푸른 하늘 같아. 위험과 암흑에 떨며 도망갈 길을 필사적으로 찾고 있어.

사람이 사람으로 살 수가 있는 자유를 빼앗기고, 죽음의 공포에서 살아야 한다고 생각해 봐.
거대한 먹구름은 절대 무너지지 않을 벽처럼, 우리를 으깨 버릴 듯 하지만 우리가 할 수 있는 건 길이 열리게 해 달라고 기도하는 것 뿐이야.
제발 그냥 돌아 가길….

이와 같이 전쟁이 지배하는 나라, 싸움이 지배하는 세상에서 인간을 해방시키고,
여기에 숨어 있었구나! 모두 끌어내라!
오~ 신이시여~

싸우지 않고 누구나 자신의 행복을 누리고 살 수 있도록 법이 활동하는 것이지.
결국 안네는 열아홉 살의 나이에 베르겐벨젠 수용소에서 생을 마쳤어.

서로 싸우지 않고 사는 세상,
친구스낵
오늘도
신 나게
일합시다!
좋아!

싸우더라도 정해진 방법대로
싸우고 자신이 옳다는 것을 정해진
방식으로 주장하고 설득하는 세상,
누가 옳은지
한번
따져봅시다!
민간소송
좋소!

법에 따라 공평하게
시비를 가리고
땅
땅
땅!
재판을
마칩
니다.
법원

그 결과 자신의 입장이 선택을 받지
못하더라도 인정하고 선택받은 입장에
대해서 기꺼이 협력하는 세상,
고맙다.
친구야~
내가
지기는 했지만
여전히
너를
도울 거야.

이런
세상에서는
좀 더 쉽게
행복해질 수
있겠지?

또 이런 세상에서는 가난이나 질병,
우리를 불행하게 하는 여러 가지 문제들을
서로서로 협력해서 쉽게 해결할 수 있을
거라고 믿어.
으샤~ 으샤~

한마디로 평화로운
세상이 되는 거야.

법의 목표는 바로 이런 세상이야. 또 이런 세상을 위해서
어느 누구도 부당하게 그 권리를 짓밟혀서는 안 돼.
나의 소원은 모두의 권리가
존중받는 평화라네.
권리
권리
법

누구나 자기가 선택한 방식으로 자신의 행복을 이루며 살 수 있는 세상을 만들고 싶은 것은 모든
인간의 소원인 동시에 법의 목표야.
행복
우리 모두가 꿈꾸는
행복한 세상~
법

혹시 유엔에 대해
들어 본 적 있니?

UN

2006년엔 우리나라 사람이
유엔 사무총장이 되었어.

와아~
반기문 총장님,
멋져요!

유엔은 오래전부터 있던 단체가 아니라
제2차 세계 대전 이후에 생긴 새로운 단체야.

세계 대전이라는 비참한 전쟁을 두 번이나 겪고 나서, 이런 전쟁의 위험을 막기 위해서 국가 간에 분쟁을 해결할 수 있는 세계적인 단체가 있어야 한다는 의견이 모아졌어.

이런 참혹한
전쟁이 다시는
일어나선 안 돼!
맞아요.
전쟁을 막을 수
있는 단체가
필요해요.

그 결과 유엔이라는
세계적인 기구가
탄생한 거야.

UN

이 유엔의 혜택을 가장 먼저 본 나라가
바로 우리나라야.

UN
유엔
고마워요!

왜냐하면 북한이 한국전쟁을 일으켰을 때 유엔군의 도움으로
우리의 자유와 평화를 지킬 수가 있었거든.

UN
우리가
도와줄게!

이제는 우리나라도 잘 살게 되어 도움이 필요한 세계 여러 나라에 유엔 평화유지군이라는 이름으로 봉사하고 있어.

UN
UN

유엔 사무총장까지 우리나라 사람이
선출됐으니 우리는 유엔에 크게 봉사하는
나라의 국민이라고 할 수 있지.

세계 평화를
위해서 해야
할 일이
많아요.

여러분도
어깨가
으쓱해지지?

유엔 외에도 국제간의 분쟁을 해결하기 위해서 여러 가지 국제법도 있어.
조약
국제 관습법

앞으로는 온 세상이 하나의 나라처럼 글로벌 세상이라서 아마 국제법을 공부한 사람들이 많이 필요할 거야.
모두 모두 친구들~

국가 간에도 전쟁을 피하고 평화를 유지하기 위해 많은 국제단체 및 국제법들이 생겨나는 거야.
우리 함께 지켜갑시다.
국제 조약

법이란 역사 속에서 평화에 대한 우리의 열망을 담아 새로 생겨나기도 하고, 또 그러한 목적에 합당하지 않은 법들은 사라지기도 해.
법
악법
싹둑
우리를 불행하게 만드는 법은 잘라내야지.
역사

법
쭈욱~ 쭈욱~
권리
역사
역사 속에서 평화를 실현하려는 법의 노력도 계속 된다는 뜻이지.

세상이 존재하는 한 사람들은 행복하기를 원해. 그러나 때로는 자신 때문에, 때로는 다른 사람 때문에 행복이 쉽게 망가지기도 해.
으악~ 내 행복!!
쩌억
행
복

또, 삶의 가장 중요한 목적인 행복은 평화가 없이는 결코 보장받을 수 없어.
행복
평화

행복을 실현하려면 평화는 반드시 지켜지고 보장되어야 해.
에잇!

어떤 곳에서도 평화가 없는 행복은 생각할 수가 없지.

다른 사람의 행복을 짓밟는 것을 재미로 생각하는 무법자들은 반드시 법의 지배를 받아야 하고, 법은 평화를 파괴하는 불법을 결코 용납하지 않을 거야.

으윽-

자아~

법

여러분도 법의 편이라면 반드시 불법과 싸워 이겨서 평화를 이루는 목표를 위해서 노력해야 해.
평화
우리는 평화를 지키는 법의 편이다!
흐잉~ 여기서는 우리가 안 통하네.
불법

이제 법이 목표로 하는 평화가 무엇인지
왜 법이 평화를 목표로 하는지 알겠지?

평화를 단순히 분쟁이 없는 상태로만 이해하는 데서 멈추지 말고, 더 나아가서 분쟁을 미리 예방하고, 분쟁이 발생하면 그것을 해결하며, 분쟁을 일으키는 문제 요소를 적극적으로 제거하는 모든 노력을 다 포함하는 과정으로 이해하는 것이 필요해.

싸움이 싫다고 그저 피하고, 불편해도 참으면 되지 하는 식으로 평화를 유지하려 한다면 그것은 지금 여기서 말하는 법의 목표로서의 평화가 아니야.
너는 저런데 함부로 나가면 안 된다. 잘못 하면 다친다.
정부는 사과하라!
와아

갈등을 숨기고 도피하고 회피하는 방식으로 유지되는 그러한 조용한 상태는 예링이 말하는 평화의 모습이 아니야.
뭐하러 사서 고생하나? 좋은 게 좋은 거지. 쩝~
와
와아
물러가라

이런 평화는 예를 들면 어떤 사람이 죽을지도 모를 병에 걸렸는데.
컥! 쿨럭~ 쿨럭~

병에 맞서는 것이 두려워서 병원에 가지 않는 것과 비슷한 거지.
진짜 죽을병에 걸린 거면 어떡해! 무서워서 못 가겠어.
덜덜덜
이궁~

평화의 길은 넓고 평안하고 즐거운 길만은 아니야.

평화의길

평화는 아무런 노력없이 주어지는 것이 아니고, 쉬지 않는 노력을 요구하지.

끙.
길을 만들어 나가자!

그래서 우리는 법의 목표는 평화고 그 수단은 투쟁이라는 예링의 말에 더욱 귀를 기울이게 되는 거야.

쫑긋~

이상하게 들릴지 모르겠지만, 평화를 원하는 사람은 언제든지 싸울 준비가 되어 있어야 해.

싸우지 않고 얻어지는 평화는 없으니까.

법이 불법과 싸워서 그 목표인 평화를 이루어 가듯이 우리도 우리의 행복을 파괴하고 빼앗으려는 여러 세력과 언제든지 맞설 준비가 되어 있어야 해.

내 행복을 지켜 주는 권리를 잘 알고 있어야 해.
행복
권리
이얍!
법
불법

병과 싸울 준비가 되어 있지 않은 사람은 건강하게 살 수 없어.

최상의 컨디션을 유지하자!

우리가 음식을 골고루 잘 먹고, 규칙적으로 생활하며 운동하는 것도 바로 우리 몸에 침입하여 건강을 파괴하려는 병과 맞설 준비를 하는 거지.

정해진 시간에 밥 먹기!
운동도 열심히 하고!
질병 따위~

평화와 행복은 결코 머릿속에만 머무는 공허한 생각이어서는 안 돼.

내가 꿈꾸는 세상은 언제 오려나….

그런 평화는 아무런 힘이 없거든.

행복

지금 여기서 말하는 평화와 행복은 실천하는 평화와 행복이야.

세상 밖으로!
슈웅~
평화
행복

법의 목표는 평화라고 말할 때도 마찬가지로 단지 추상적이고 논리적으로 설명된 그러한 평화가 아니라,

**노동조합 및 노동관계조정법**

제1조 (목적) 이 법은 헌법에 의한 근로자의 단결권, 단체교섭권 및 단체행동권을 보장하여 근로조건의 유지, 개선과 근로자의 경제적, 사회적 지위의 향상을 도모하고, 노동관계를 공정하게 조정하여 노동쟁의를 예방, 해결함으로써 산업평화의 유지와 국민경제의 발전에 이바지함을 목적으로 한다.

우리 삶 가운데서 구체적으로 실현되고 누릴 수 있는 평화, 그것을 지키고 실현하기 위해서 행동과 실천이 요구되는 그러한 평화를 말하는 거야.

노동조합 및 노동관계조정법, '제5조 근로자는 자유로이 노동조합을 조직하거나 이에 가입할 수 있다.' 법에 쓰여 있는 권리를 빼앗으면 안 되죠!
노동조합
법
권리
끄응~ 그런 법도 있었나? 난 몰랐지.

생각과 말로만 집을 짓고 조용히 살고자 하는 그런 평화는 진정한 평화가 아니야.

일이나 열심히 할 것이지. 무슨 짓들이야!
노동조합
노동조합의 조직과 가입은… 중얼중얼~
그렇다고 우릴 해고하다니….

앞에서도 말했지만 법은 실천을 요구하거든.

노동조합
와아~
법

우리는 여기서 단순히 몇 조 몇 항 등, 법조문의 해석에 몰두하거나 고시에 합격하기 위해서 법률 책을 열심히 암기하는 그러한 법 공부가 아니라,

D-40
!
법을 제대로 공부하고 싶니? 그렇다면 세상으로 나와!

'내가 구체적으로 어떻게 행동할 것인가.' 하는 실천적인 대책을 마련하는 것이 진정한 법 공부라는 걸 배우는 거야.

실천

예링은 이러한 법을 가르치는 선생님이고.

찡긋

어때, 예링 선생님이 점점 더 마음에 들지?

네에~!
쪽!!

법은 실천의 문제라는 것을
반드시 기억하도록!
실천
실천하지 않으면, 아무 의미 없는, 죽은 법이 되는 거예요.
법

법을 생각할 때마다 '나는 어떤 상황에서 어떻게 행동할 것인가?' 하는 문제를 반드시 함께 생각해야 해.
실천
법
네가 처한 상황과 해야 할 행동을 함께 생각해야 하는 거야.

법의 목표가 평화라는 말에는 '이 평화의 목표가 어떻게 실현될 수 있을 것인가?'
평화
평화가 실제로 어떻게 이루어질 수 있을까요?
법

혹은 '법은 이 목표를 이루기 위해서 어떻게 실천할 것인가?' 하는 뜻이 포함된 걸로 들어야 해.
평화
평화를 이루기 위해서 어떤 행동을 할 거죠?
법

즉 목적이 생기면 그 목적을 이룰 수단도 함께 생각하는 거지.
10000
목적
수단

어떤 목표를 세우고 목적은 갖고 있으면서
맛있어 보이네. 저 감을 먹어야겠다.

그 목표에 다다르거나 목적을 이룰 수단을 생각하지 않는 일은 결코 있을 수 없는 거야.
너 드러누워서 뭐하는 거냐?
어서 내 입으로 떨어져라.

수단이 꼭 있어야지!

목적은 수단의 선택까지 포함해서 고려해야 하거든.
투욱~
목적
이번엔 제대로 해 보자.
수단

그래서 우리는 법이 실천적 문제라고 말하는 거야.
평화를 얻으려면 법을 써야지!
쭈욱-
평화
법

자 그러면 예링의 말을 직접 들어 볼까?
아~ 아~ 마이크 테스트~

"법의 개념은 실천적 개념, 즉 목적 개념이며, 모든 목적 개념은 그 본질상 이원론적으로 이루어져 있다. 왜냐하면 목적과 수단의 대립을 이미 자신 속에 갖고 있기 때문이다. 그러므로 단지 목적만 일삼는 것만으로 충분하지 못하고, 그 목적이 도달될 수 있는 수단도 함께 제시되어야 한다. 그러므로 법도 도처에서 이 두 가지 문제에 대해서 말하고 대답을 찾게 된다. 대체로 모든 개개의 법률제도에서, 그리고 실제로 모든 법률의 전체 시스템은 이 문제에 대한 끊임없는 대답이다. 법적 제도 즉 소유권이나 의무에 대한 모든 정의는 반드시 나누어지는데 그것이 기여하는 목적과 동시에 그것이 수행될 수 있는 수단을 제시하는 것이다. 수단이란 아무리 다양하게 형성된다 할지라도 항상 법이 불법과 싸우는 것으로 환원된다. 법의 개념에는 이러한 대립 즉 투쟁과 평화가 발견된다. 평화는 법의 목표로, 투쟁은 법의 수단으로서, 이 두 가지는 동일한 법의 개념을 통해서 같은 정도로, 그리고 불가분리적으로 주어지는 것이다."
(예링, 《권리를 위한 투쟁》, 독일어 4판, 1874년, 1쪽)

말이 조금 어렵지?
머~엉~

쉽게 말하면 앞에서 우리가 배운 대로 모든 법이나 법 제도들은 그 정의에서부터 실천적인 관점에서 목적과 수단으로 나누어지며
목적
모든 법에는 이 두 가지가 포함되어 있는 거지.
법
아하!
수단

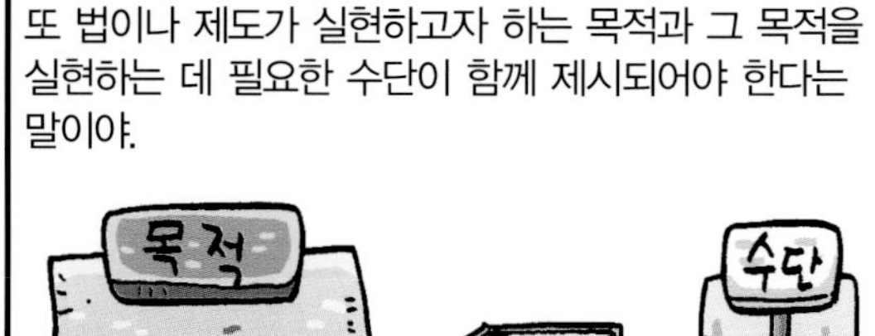
또 법이나 제도가 실현하고자 하는 목적과 그 목적을 실현하는 데 필요한 수단이 함께 제시되어야 한다는 말이야.
목적

범죄로부터 국민을 보호한다.
사형 제도
수단

예링하면 떠오르는 유명한 말은 바로 이것이지.
법의 목표는 평화이고 그 수단은 투쟁이다.

꼭 기억해 둬. 앞으로도 계속 나오는 중요한 말이니까.

# 안네의 일기

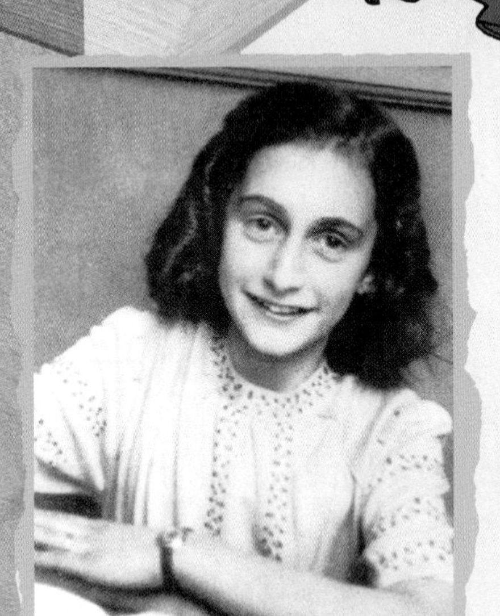
▲ 안네 프랑크

안네는 제2차 세계 대전 당시 히틀러에 의해 자행되었던 유대인 대학살의 희생자로서 《안네의 일기》를 쓴 사람입니다. 그녀는 1929년 6월 12일 독일 프랑크푸르트에서 태어났습니다. 그녀의 가족은 나치의 박해를 피해서 네덜란드의 암스테르담으로 이주했는데, 독일군이 네덜란드까지 점령하자, 아버지 회사의 비밀 방에서 2년간 숨어 살다가 결국 발각되어 수용소로 이송되었고 티푸스에 걸려 죽었습니다. 그 뒤에 발견된 《안네의 일기》는 세계적인 베스트셀러가 되었는데, 1952년 영어로 번역되었고, 그 후에 66개의 다른 언어로 번역되었으며 연극이나 영화로도 만들어졌습니다.

안네는 그녀의 열세 번째 생일에 노트 선물을 받고 그 노트에 자신의 비밀스런 이야기, 즉 일기를 쓰기로 결심합니다. 안네는 어느 누구도 자신의 일기를 읽는 것을 허락하지 않았습니다. 일기장을 자기 친구라고 생각하고 일기장에게 자기 자신과 가족과 친구들에 대한 것들을 솔직하게 이야기했습니다. 안네의 비밀의 방에서 숨어 지내는 동안의 일을 일기장에 기록했습니다.

1944년 봄에 그녀는 라디오에서 네덜란드 망명 정부의 말을 듣는데, 전쟁이 곧 끝나고, 독일 점령 하에서 네덜란드 국민들의 억압에 대한 기록을 만들고, 일기나 편지 등을 출판할 것이라는 내용이었습니다. 안네는 자기가 쓴 일기를 제출하기로 결심했습니다. 안네는 출판에 대한 기대를 가지고 그 동안 쓴 일기를 편집했습니다. 원래의 내용을 더 첨가하기도 하고, 그녀의 가족을 도와준 사람의 이름도 다르게 바꾸었습니다. 그녀의 원래 일기는 A본이고 출판을 위해서 다소 가공한 것은 B본인데, 안네의 아버지는 A본과 B본을 사용해서 몇 개의 장을 삭제하고, 가족의 이름은 원래대로 하고 나머지 이름은 그대로 둔 채로 출판을 준비했습니다.

《안네의 일기》는 처음에는 어떤 신문에 〈아이의 목소리〉라는 제목으로 연재되었는데, 큰 이목을 끌다가 1947년에 책으로 출판되었습니다. 이어서 1950년 제 2판이 나오게 되었고, 1952년에 《안네 프랑크 : 한 소녀의 일기》라는 제목으로 미국판이 나오게 되었습니다. 또한 연극으로도 만들어져서 1955년 10월 5일에 뉴욕에서 첫 공연이 올려졌고, 나중에 드라마는 퓰리처상을 받기도 했습니다. 1959년에는 영화 〈안네 프랑크의 일기〉가 상영되어 흥행에 성공했습니다. 몇 년에 걸쳐서 인기가 계속되면서, 특히 미국을 중심으로 많은 학교에서 교과서 내용에 포함되기도 했습니다.

미국 판 서문에서 일리노 루스벨트는 "전쟁이 인간에게 미치는 충격에 대해서 내가 읽은 가장 지혜롭고 감동적인 책이다."고 했고, 넬슨 만델라도 1994년 안네 기금에서 주는 인권 상을 수상하고 "감옥에 있는 동안 이 책을 매일 읽고 많은 용기를 얻었다."고 말했을 정도로 《안네의 일기》는 고통 받는 자들에게 희망을 주는 책이 되었습니다.

법
법

# 제5장 법의 수단은 투쟁이다

권리
권리
권리
권리
법


앞에서 법이
목표로 삼고,
목적으로 하는 것이
평화라는 것을 배웠어.

평화


또 법은 실천적인 것이며

난 단순한
사상이 아니라,
살아 있는 힘이라고.
법


본질적으로 목적과 수단을 함께
포함한다고 했지.

목적
수단
법


하나의 법이나 혹은 법적 제도라 할지라도 반드시 두 부분,
즉 목적과 수단이라는 부분으로 나누어서 이해하고,

동시에 목적과 수단을 똑같은 비중으로
이해해야 돼.

목적
수단

목적만 크게 생각하고
수단은 가볍게
생각한다든지
목적

반대로 목적은 대충 잡고
수단에만 열을 올린다든지
하지 말라는 뜻이지.
목적
수단

목적과 수단은 똑같은 비중으로 연구하되,
나누어서 이해할 필요가 있어.
두 가지 모두 잘
알아 두어야 하지.
목적
수단

앞에서 법의 목표 혹은 목적으로서의 법에 대해
공부했으니 이제 법의 수단 혹은 수단으로서의
법에 대해서 생각해 보자.
끙~
평화
수단
법

법의 목적이
평화라면
그 목적은
어떻게
실현될까?

그 어떤 법도 노력이나 대가 없이
이루어지지는 않아.
끊임없이
노력해야만
해.
법

역사에서 우리가 얻는 교훈은 고귀한
것은 반드시 대가를 지불해야 한다는
거야.
내 젊음을
다 바쳐서
얻은 것이지만
후회는 없어.
꼬옥~

그런데 다르게
생각하는
사람들도 있어.

법은 무의식중에 자연적으로 생겨서 발전하고
마침내 우리의 행위 가운데 확실하게 된다고 말이야.
어! 어느새
법이
생겼네.
법

사비니 같은 위대한 법학자들의 가르침도 이와 비슷했어. 아주 낭만적이라고 할 수 있지.
실제로 사비니는 낭만주의 시대 사람이야.
역사 법학
법은 무의식적인 유기체와
같아서 소리도 없이
이루어지고 아무런 투쟁도
요구하지 않고
민적 신념이나
법적 신념으로부터
저절로 생겨나고
발전하고 확증되는
것입니다.

좀 어렵나?
역사
법학

이 견해에 따르면 법이 생겨나는 데는 별다른 수고나 노력이 존재하지 않아.

법은 자연스럽게 생겨난 것이죠.
역사 법학


한 나라의 법은 그 나라의 민족정신으로부터 유기적으로 생긴다는 뜻이지.

민족정신
법


사과나무에서 싹이 나고 꽃이 피고 사과가 열리듯이 말이야.

흔히 생물체나 자연을 유기적이라고 말하지.
토옥~


법도 이와 비슷해서 민족정신 안에 씨앗처럼 들어 있다가 때가 되면 자라나고 분명해진다는 뜻이야.

민족 정신
법

언어와 비슷하다고 생각하는 거지.
ABC
ㄴㄷ


사실 언어는 인위적인 의지를 통해서 생겨난 거라고는 할 수 없잖아.

중국 사람이 중국말을 하는 것은 의도적인 목적과 수단에 근거한 의지의 구체적인 선택이나 노력의 결과는 아니거든.

난 중화민족이니까 당연히 중국말을 쓰지.
니 하오~ 워 쓰 중구어런~
법도 말처럼 그 발생에서 별다른 차이가 없다는 생각이지.


낭만주의자들은 모든 것이 자연적인 유기체라고 생각하기 때문에 법도 말처럼 유기체라고 생각한 거야.

응애~
법
생물체는 태어나서 성장하고 죽잖아.
이와 같이 법도 태어나서 성장하고 소멸하는 거야.


법이 인간의 행위라는 구체적인 목적에 근거하지 않고 민족의 정신에서 이루어지는 자연적인 과정이라는 거지.

법
민족 정신
법은 민족 속에서 저절로 만들어져.

과연
그럴까?

여러분이 살고 있는 가혹하고 냉정한
현실을 한번 둘러봐.

아주 작은 것이라도 노력 없이
주어지는 것이 있는지도 살펴보고 말이야.
힘껏 불어야 할 거야.

우리가 누리는 자유만 하더라도
수고하지 않고 얻어지는 게 아니라는
것을 금방 알게 될 거야.
나가서
놀고
싶어요.
먼저, 숙제부터
끝내야지.

세상에 공짜가
없다는 말이
딱 맞아.

예링은 법의 유기체적 견해를 거부하고 목적에
입각한 법의 이해를 요구했어.
법은 사회적
목적을
위해서
창조되었죠.
목적
법학
이런 법학을
좀 어려운 말로
'목적법학'
이라고 해.

법은 목적과 수단을 따라
구체적 행위로 실현된다는 거지.
목적
척 척 척~
수단
법
권리를
보호하고
불법
행위는
처벌하자!

법의 목적이 평화라면 목적에 따른
수단도 있어야겠지?
평화
목적

이 수단이 바로 투쟁이야.
투쟁
수단

평화를 이루기 위해서 투쟁한다는 말이
조금 이상하게 들린다고?
법의 목표는
평화이고
그 수단은
투쟁이다.

하지만 잘 생각해 보면
예링의 주장은
아주 현실적이고
설득력이 있어.

역사적 사건 몇 개만 기억해도
이러한 주장의 뜻을 금방 알 수
있을 거야.

노예제 폐지
토지소유권의 자유
신앙의 자유

앞에서 예를 들었던 노예 해방을 생각해 보자.
노예

오늘날은 누구도 노예 제도에 찬성하지 않을 거야.
노예제도
사람이 사람을 노예로 삼는다는 것은 있을 수 없는 일이라는 생각에 다들 동의하니까.

'모든 사람은 법 앞에 평등하다.'는 말이나
법

'사람 위에 사람 없고 사람 밑에 사람 없다'는 말을 들어본 적 있어?

사람은 누구도 다른 사람 위에 군림할 권리가 없고 사람 중에 누구도 다른 사람 밑에서 노예로 살 의무가 없다는 말이야.
평등할 권리

인간의 권리가 자명하고 분명한 진리임에도 불구하고
평등할 권리

민주주의가 앞서 발전한 미국에서도 노예제도가 없어진 건 1800년대 후반이야.
노예들은 1863년 1월 1일부터 영원히 자유의 몸이 될 것입니다. 미국의 행정부는 그들의 자유를 지켜 줄 것이며, 다시는 억압하지 않을 것입니다.
우리가 잘 아는 링컨 대통령이 이루어낸 위대한 업적이지.

우리나라에서 종이 없어진 건 이보다 훨씬 뒤야.
신분 제도
와아~
1894년 갑오개혁

너무 분명해서 유치원생도 알 만한 상식인데 말이야.
노예 제도가 나쁘다는 건 나도 아는데….

그럼에도 인간의 가치를 새롭게 추구하는 법이 우리 역사에서 실현된 것은 그리 오래된 일이 아니야.
퍽퍽!
노예제
법

이 법이 실현되기까지
얼마나 오랜 세월이 걸렸는지
생각해 봐.
나도 자유인 이다!
1865년 노예해방

또 이 불법의 제도가 사라지기까지 얼마나
많은 사람이 투쟁했으며,
우리에게도 똑같은 권리를 달라!
1867년 시민권 보장

그들 자신은 이 투쟁의 열매조차
보지 못하고 자신의
고귀한 생명까지 희생했어.
이제 다 이루었는데…. 흐흑….
1870년 투표권 부여

또 다른 예를 들면, 한 민족이 다른 민족에
게서 독립을 얻어 내기까지도 오랜 세월
고된 투쟁을 해야 해.
자유가 아니면 죽음을 달라!

얼마나 많은 민족의 역사에서 이러한 용감한 투쟁사가 존재하는지,
역사는 수많은 예로 교훈을 줘.
영국 명예혁명
미국 독립혁명
프랑스 대혁명

그래서 '인간의 역사는 투쟁의 역사'라고
말하는 사람도 있어.
투쟁
역사

마찬가지로 법도 평화를 얻기
위해서 투쟁하는 법이지.
투쟁
법

지금 우리는 아주 평화로운 시대에
살고 있어.
평화

우리 역사에서 아마 유일하게 전쟁을 보지 않고 평안하게
살고 있는 세대인지도 몰라.
평화롭게 사는 게 뭐 대단한 일인가요?
쯧쯧
이렇게 값진 평화를 누리고 있으면서도, 평화란 그냥 처음부터 있었던 것으로 착각하기 쉽지.

그러나 우리가 누리는 이 평화를 위해서
우리 아버지나 할아버지의 세대에서 얼마나
힘든 투쟁을 했는지 기억해야 해.
헉!
항일 투쟁
6·25 전쟁
5·18 민주화운동

영어 속담에
이런 게 있어.
No Sweat No Sweet

'땀을 흘리지 않으면
드르렁~

달콤한 열매가 없다.'는 뜻이야.
아삭
꼬르륵~

우리가 잘 아는
비슷한 사자성어도
있지.
苦盡甘來
고진감래

고생 끝에 낙이 온다는 말이지.
허억~

또 '십자가를 지지 않으면 왕관도 없다.'는
말도 있어.
고통이 없이는
영광도 없느니라.

힘든 노동 없이 얻는 것은 없어.

예를 들면 부모님께 수많은 재산을 상속받아 부자가 된 사람을 생각해 보면,
그 자신은 아무런 수고도 안 했지만 많은 소유를 누린다고 생각하지.
부모님이
저에게
물려주셨죠.
쩝~

하지만 그 소유의 생성 과정을 따져 보면 결코 그냥
얻은 것이 아니라 그의 부모가 힘든 노동을 통해서
획득한 재산인 거지.
재산

우리가 누리는 평화가 바로 다른 사람이 땀 흘린 수고와
투쟁의 대가라는 것과 같은 말이야.
평화

상속으로 누리는 불공평을
해결하기 위해서
부가 한쪽으로 몰리는 것을 막아야 해요.
법

많은 양의 상속에는 법으로
상속세라는 세금을 부과해서
물려받는 재산의 일정 부분을 상속세로 내세요.
상속세

직접 노동하지 않고 얻은 소유를
공정하게 평가하려고 노력하는
거야.
아깝지만….
상속세

우리가 살고 있는 세상은 냉혹하고 잔인한 일로
가득 차 있어.
윽~ 무서운 세상!
크크크~
호호호~

물론 착한 사람도 많지만 아직도 우리가
극복해야 할 불공정하고 사악한 일 역시 많지.
정신 바짝 차리고 살아야 해.

신문이나 텔레비전 뉴스를
보면,
요즘 무슨 일이 있나 볼까?

'아직도 이런 일이 일어날 수 있나?'
하는 일들이 정말 많아.
이럴 수가!
부녀자 연쇄살인

무서운 범죄뿐 아니라 거짓과 사기,
갈취와 각종 불법이 우리의 평화와
행복을 방해해.
당신의 계좌가 범죄에 이용되고 있으니 즉시 모든 돈을 이체하고 수사 기관의 조사를 받으세요.
헉!
보이스 피싱

여러분도 이런 생각해 본 적 있지?
아~ 아직도 이런 일이 있다니….
저런 일만 없으면 좀 더 좋은 세상이 될 텐데….
아~ 답답하다.

이것은 반대로 우리 이전 세대에도 역시 이러한 현실은 있었어.
감히 가톨릭 교리에 반하는 주장을 하다니!
종교의 자유를 달라!

아니 더 심했는지도 몰라.
화형에 처하라!
화르륵~

우리가 지금 누리고 있는 이만큼의 평화를 위해서도 법이 어떠한 노고와 대가를 지불했을지 생각하게 하지.
종교의 자유
법

법도 인간의 탄생처럼 진통을 동반해.
으으으윽!
조금 더 힘 주세요!

바로 법의 탄생에서 인간의 권리 싸움이 치러야 하는 수고와 노동을 말하지.
조금만 더 힘냅시다!
권리
권리
권리

법이란 어느 날 저절로 생기는 것이 아니라, 개인이 삶의 전선에서 행하는 권리 주장의 노고를 통해서 이루어지는 것이니까.
권리
권리
권리
권리
법

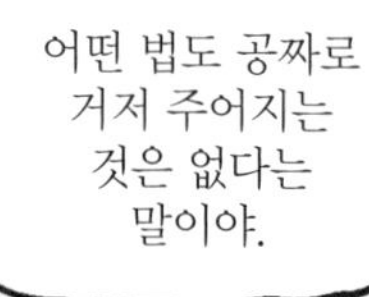

어떤 법도 공짜로 거저 주어지는 것은 없다는 말이야.
꼬옥~
법

수세기 동안 피 흘려 싸운 결과로 얻어진 법이

오늘날 우리가 누리는 자유라는 것을 잊지 마.
자 유
법

지금 시대에는 절대로 수용할 수 없는
악법들이 오랫동안 세력을 유지했던 것은
그 법으로 이익을
얻은 사람들이 많았고
억울하고
분해도
참아라!
우리는
이 법이 좋더라.
악법

그들의 저항을 극복하기가 쉽지
않았기 때문이야.
바꿀 생각은
꿈에도 하지
말라고!
우리가
허락 못 해!
악법

어떤 계층의 이익을 대변하는
법을 만들려고 하는 것은
그것과 반대편에 서 있는 계층의 사람들에게는
결코 양보할 수 없는 시도인 것이고
우리를
위한 법을
만들어
보자!
새로운
법
법
흔들~ 흔들~
헉!
어? 우리에게
좋은 법이
위태로워지잖아!

이러한 대립은 피할 수 없는 충돌을 가져오지.
쾅
쾅
새로운
법
법

이런 분쟁이 때에 따라서 수십 년 동안 계속되는
경우도 있어.
내 평생을
다 바쳤지만,
후회는 없다!
쾅
수백 년이
지나도 안 될 거다!
새로운
법
법

이러한 대립은 주로 누가 옳고 그르냐 하는 문제로
결정되기보다는 각각의 입장을 지지하는 사람들의 수와
힘에 의해서 결정되는 경향이 있어서
새로운
법
이렇게나
많은 사람들이
원하고 있다고!
법

그들의 대립은 결국 평형상태로 계속될 수 있어.
바꾸자!
안 돼!

마치 줄다리기할 때 서로 힘이 비슷해서 어느 쪽으로도 끌려가지 않는 것처럼 말이야.
조금만 더 당기자!!
영차, 영차~
새로운 법을 만들려는 의지가 있으면 반대편에서 그것을 막으려는 저항 또한 거세지지.
절대 안 돼!!
으샤~ 으샤~

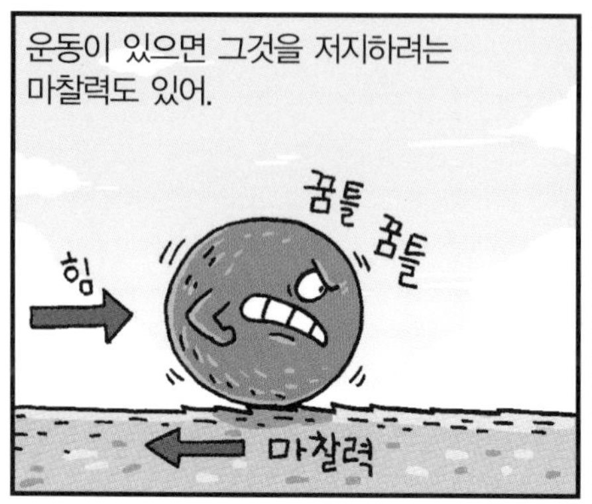
운동이 있으면 그것을 저지하려는 마찰력도 있어.
꿈틀 꿈틀
힘
마찰력

마찰력보다 더 센 자극이 있어야 운동이 계속 될 수 있지.
이얍!
퍽
데구르르~

온 세상 이치가 다 그래.

때때로 이런 대립은 엄청나게 커서 한 나라의 운명을 좌우하기도 해.
바꾸자!
안 된다!

미국의 남북전쟁을 생각해 봐.
노예 제도를 폐지하려는 쪽과 그것을 유지하려는 쪽의 대립은 전쟁도 불사했지.

한 편은 지금까지 있어온 법의 정당성을 주장하고,
우리는 노예가 필요하다!
노예제도

다른 편은 이제 새롭게 태어날 법의 정당성을 주장하고
노예에게 자유를 줘야 한다!
노예해방

그리고 싸워서 하나는 몰락하고 다른 하나는 새로 태어나고….
노예 해방
승리

역사는 이렇게
자신의 힘든 길을
계속 가는 거야.
역사

그래서 역사적인 법은 한 편에서는
전통의 신성함을 주장하고
전통
과거에서부터
쭈욱 이어져온
법을 지켜야
합니다!

다른 한 편에서는 새로운 모습으로
다시 태어나려는 인간 권리의 신성함을
주장해.
권리
새로운
세상에는
새로운 법이
필요합니다!

각각은 죽을힘을 다해 자신의 신념을 위해 싸우다가 마침내
어느 한 편의 승리로 마치게 되지만,
끄응~
내가 졌다.
권리
새로운 법

역사의 과정에서 법의 싸움은
결코 끝나지 않아.
또 싸우러 가자!
투쟁
법

왜 법이 실천이고,
왜 법의 목표가 평화고, 또 왜 법이 자신의 목적을
이루기 위해서 투쟁해야 되는지
이제 알겠지?
흠흠~

예링의 생각이 당시에 왜 선풍적인 인기를
누렸는지도 이해가 될 거야.
당신은 투쟁하는
가운데
스스로의 권리를
찾아야 한다.
오오~!

우리가 가진 법과 권리는 힘들게 싸워서
얻은 것이고,
헉~
헉~
권리
법

앞으로 또 다른 싸움을 통해 지켜지고
새롭게 얻어질 테니까.
권리
법

법은 새로운 법에 자리를 내주면서 젊음을 계속 유지할 수 있어.
젊은이, 수고하게나~
새로운 법
법

오래되고 낡은 법도 자신의 과거를 버리고 새롭게 될 수 있지.
낡은 옷은 벗고
새로운 옷으로 갈아입는 거야.
휘익~
법

이렇게 인간의 법은 쉬지 않고 성장하면서 또 스스로를 몰락시켜.
잘못되거나 쓸모없는 법은 버리는 거죠!
법

몰락하면서 새롭게 생성되고 자신의 과거를 먹으면서 다시 젊어진다고나 할까?
법
법

그래서 예링은 법은 자신의 자식을 잡아먹으면서 젊어지는 크로노스*와 같다고 했어.
법

***크로노스** – 그리스 신화에 나오는 농경과 계절의 신.

크로노스 알지?
그럼요. 제우스의 아버지잖아요!

후후후~
꼬마 녀석이 제법이구나. 하지만 크로노스가 그리스어로 '시간'이라는 말인 건 몰랐을 거다.

그리스인은 시간이 현재가 되면서 과거를
자기 뱃속으로 밀어 넣은 것과 같다고 생각한 모양이야.

째깍~ 째깍~
꿀꺽~꿀꺽~
과거
현재


그래서 시간을 의미하는 제우스의 아버지 크로노스는
자기 자식을 잡아먹으면서 끊임없이 젊어지려고 했지.

꿀꺽~ 꿀꺽~
새로운 생명의
기운으로
젊어질 거야!

태양을 도는 행성 중에서
토성이 바로 이 크로노스를
일컫는 말이죠.
해왕성
천왕성
토성
목성
화성
지구
금성
수성
태양
목성은 주피터, 즉
제우스고요.

그리스 로마 신화도
재미있으니
읽어 봐.


자신의 자식을 잡아먹으면서 끊임없이
젊어지려는 크로노스처럼

법도 자신의 과거를 청산하면서 다시 젊어진다는 거야.

과거의
법
법
새로운
법


어디 법뿐이겠어?
영원한 생성의
세계에는
모든 것이 그래.

생성한 것은 다시 몰락하고
새롭게 생성하고….

역사는 영원한 생성의 과정이라고
할 수 있지.

역사
생성
몰락

생성과 몰락에서 낭만주의는 유기체적인 과정을
강조하고

예링이나 헤겔은 인간의 노동을 통해서 실현되는
목적론적 과정을 강조하지.
생성
목적
몰락
목적

*니힐리즘 – 허무주의. 일체의 사물이나 현상은 존재하지 아니하고 인식되지도 아니하며 또한 아무런 가치도 지니지 아니한다고 주장하는 사상적 태도.

또 생성과 몰락의 반복이 영원히 동일한 반복이라고
생각하면 니체의 니힐리즘*이 되는 것이고
생성
몰락

이 반복이 끊임없이 나선형의 발전이라면
헤겔의 변증법*이 돼.

*변증법 – 헤겔 철학에서, 동일률을 근본 원리로 하는 형식 논리와 달리 모순 또는 대립을 근본 원리로 하여 사물의 운동을 설명하려는 논리.

이와 같이 역사의 조건에 따른 생성과 몰락이라는 원리로 세상을 보는 방식을 우리는 조금 어려운 말로
역사주의라고 해.
역사주의
생성
몰락

그래서 예링도 앞에서 말한 사비니와는 다른 방식이지만,
여전히 역사주의에 속한다고 말할 수 있지.
역사
법학
목적
법학
역사주의

법이라는 것은 한번 생기면 영원히 있는 것도 아니고
역사의 과정에서 새롭게 생성하고 몰락하면서
법
역사

자신의 고된 탐구와 노력을 계속하는 거야.
법

법은 자기 내부에 지배의 속성을
지니고 있기 때문에
법
지배

일단 만들어지면 지배를 지속하려는
경향을 갖게 돼.
법
쭈욱~
지배

권력을 잡으면 그 권력을
포기하지 않으려는 군주와도
비슷하지.
권력
내거야~
꼬옥~

그래서 법은 자신과의 싸움을 벌여야 해.
내 자신을
돌아보자.
법

왜냐하면 법은 젊어지기 위해서 자신의 과거를
포기해야 되는데
흐음~
과거
법

동시에 법은 자기 내부에 지배를 지속하려는
욕구를 가지고 있기 때문이지.
과거
쑤욱
지배
아직
버릴 때가 아니야!

그래서 생성하고 몰락하는 역사의 과정에서 법의 가장 큰 적은 바로 자신이 된다는 거야.

으윽~ 안 돼.
법
앞으로 더 나아가야 해!


역사는 법에게 새롭게 되려면 과거에 누리던 영광을 포기하라고 요구하는 거고.

부들부들
더 나아가려면 과거를 버려야만 한다네.
역사


이러한 모습은 법의 역사적 모습을 묘사하는 것이지만, 실제로는 한 법이 폐기되고

○○법


그 위에 다른 법이 생겨나는 것은

△△법


시대를 사는 사람들의 생각과 욕구 및 시대정신의 요구와 관련이 있어.

새로운 세상이 열렸다!
우리가 원하는 새로운 법을 만들자!


각 시대마다 새롭게 태어나는 시대정신이 있고,

시대정신


그 시대정신을 사는 사람들은 자신의 이익과 욕구를 거부하는 낡은 법을 버리고

우리를 위한 법이 아니야!
휘익
낡은법


자신의 이익과 욕구를 대변하는 새로운 법을 추구하게 돼.

우리의 권리를 보호해주는 새로운 법이 필요해!
새로운 법


그래서 이전 법을 지키려는 편과 새로운 법을 지지하는 편 사이에 대립이 생겨나고

지금까지 잘 지켜온 법을 바꿀 수는 없다!
낡은 법
새로운 법
새로운 시대가 원하는 법으로 바뀌야 한다!


이 대립이 길게는 세기를 넘어 지속되기도 하는 거야.

낡은 법
새로운 법

사람들은 종종 자신들의 이익이 걸린 대립에 생사를 건 투쟁도 마다하지 않아.

그래서 이 대립은 때로는 피와 눈물로 얼룩진 비극이 될 때도 있지.

아기를 낳으려고 진통을 겪는 어머니와
새로운 세상으로 나오려고 발버둥치는 아이의 고된 노력이 함께 있어야 새 생명이 탄생할 수 있지.

생명의 탄생이 이러한 진통을 수반하는 것처럼 법의 탄생도 그렇다고 한 말 기억하지?
법

또 진통 속에 아이를 낳은 어머니와 발버둥치며 태어난 아이의 유대가 깊은 사랑으로 맺어지는 것처럼
응애~

우리는 법에게도 사랑과 애정의 유대를 기대할 수 있어.
법

자~
다 같이
외쳐 볼까?
“법의 목표는 평화고 그 수단은 투쟁이다.”
투쟁
평화
법

# 니힐리즘

생성
몰락

니힐리즘이란 우리말로 무(無)나 부정을 의미하는 라틴어 '니힐'에서 유래하는 말입니다. 그래서 보통 '허무주의'라고도 합니다. 니힐리즘은 말하자면 이 세상에 영원한 도덕적 가치가 있다든지, 의심할 수 없는 객관적인 진리가 존재한다든지 하는 것 등에 근본적인 의문을 갖는 가치관입니다. 그래서 인간을 초월한 어떤 영원한 세계나 종교적 가치 및 신의 존재를 부인합니다. 인류 역사의 발전에 대해서도 극단적으로 회의적이며, 모든 가치를 극단적으로 부인하려는 철학의 한 흐름입니다.

니힐리즘이란 말은 철학적인 의미에서는 '부정의 절대성'이라는 뜻으로 야코비의 편지에서 처음으로 사용되었습니다. 러시아의 대표적인 문학가인 투르게네프가 그의 소설 《아버지와 아들》에서 니힐리즘이란 말을 대중적으로 사용했는데, 러시아에서 나타났던 반동적인 젊은이들을 나타내는 표현으로 이를 러시아적 니힐리즘이라고도 불렀습니다. 러시아적 니힐리즘은 이상주의나 낙관주의 및 현재 있는 모든 질서, 즉 예를 들면 가족, 교회나 국가 등에 대한 거부를 의미합니다. 그래서 니힐리즘은 '모든 것에 대해서 아니오.' 하고 거부하고 행동하는 염세주의자들의 철학이 되었습니다.

특히 니힐리즘은 독일의 대표적인 철학자 니체에게 가장 중요한 개념이었습니다. 니체는 러시아적 니힐리즘에서 영향을 받아 모든 기존 질서와 가치를 부인했습니다. 니체가 한 유명한 말 "신은 죽었다."는 니힐리즘을 가장 잘 나타내는 표현입니다. 니체는 모든 도덕적 가치나 규범은 특정한 상황에서 필요하냐 아니냐의 문제라고 생각했습니다. 그는 영원한 진리는 존재하지 않고 모든 것은 주관적이라고 생각했습니다. 그래서 니체는 인간을 초월해 있는 어떤 영원하거나 초월적인 존재와 추상적인 가치를 부인하고 오직 인간 자체가 모든 것의 중심이라고 강조했습니다.

▲ 프리드리히 니체

또한 니체는 역사는 동일한 것의 계속적인 반복일 뿐이고, 역사는 목표도 없고 발전도 없다고 했으며, 도덕이나 종교조차도 아무런 의미를 갖지 않는다고 했습니다. 그의 주장에 따르면 세계나 인생은 아무런 의미가 없는 무의미의 반복으로 전락하는 것입니다.

이러한 극단적인 무의미에서 새로운 삶의 의미를 창조하는 사람이 바로 니체가 말하는 위버맨쉬입니다. 위버맨쉬란 니힐리즘에 의해 완전히 파괴된 영원한 가치나 규범들의 자리를 대신할 수 있는 새로운 가치를 창조하고, 인간 자신을 넘어서 새로운 인간으로 탄생하려는 인간을 의미합니다.

니체의 위버맨쉬는 오직 아무런 의미도 없는 삶의 극단에 맞서서 새로운 가치를 창조하며 생존하는 의지의 상징입니다. '니힐(허무)'이 삶과 세계에 대한 극단적인 부정 즉 '아니오'라면, 반대로 위버맨쉬는 극단적인 '예'라고 말할 수 있는 것입니다. 니체는 그냥 세태에 밀려서 삶에 대한 목적이나 목표도 없이 감각적으로 밀려다니는 부평초 같은 인생들을 아주 경멸했습니다.

제6장
법은 야누스의 얼굴

우리는 앞에서 법의 목표는 평화라는 것도 공부했고
목표
평화
법

그 수단이 투쟁이라는 것도 공부했어.
수단
법

법은 평화와 투쟁이라는 두 가지를
동시에 가지고 있다는 말이지.
평화
법
투쟁

좀 이상하게
들린다고?

평화와 투쟁은 서로 반대되는 것인데
동시에 존재한다니 말이야.
평화
투쟁

우리는 이런 경우를 모순된다고 말하기도 하고
그 어떤 방패도 뚫을 수 있는 창 팔아요.
그 어떤 창도 막아낼 수 있는 방패도 팔아요.
矛 세모진창 모
盾 방패 순

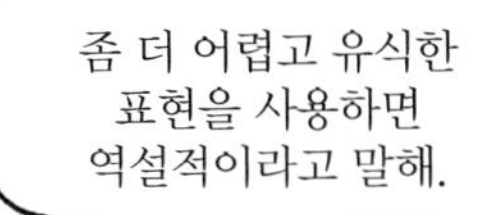
좀 더 어렵고 유식한 표현을 사용하면 역설적이라고 말해.

'역설적'
어떤 주장이나 이론이 겉보기에는 모순되는 것 같으나 그 속에 중요한 진리가 함축되어 있는…

법이란 역설적인 것이 되지.
법

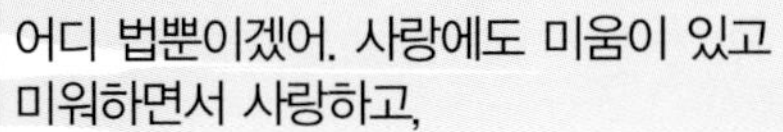
어디 법뿐이겠어. 사랑에도 미움이 있고 미워하면서 사랑하고,

꼴도 보기 싫어! 네가 미워. 가 버려!
휘익

절대로 안 보고 싶다고 말하면서 그리워하고….
흑흑~ 그래도 보고 싶을 거야.

이러한 일은 인생에서 허다하지.

그래서 법은 야누스의 얼굴을 가지고 있다고 말하기도 해.
야누스

보통 그리스 로마 신화에 나오는 신들은 그리스 이름과 로마 이름 둘 다 가지고 있어.
제우스 (그리스 이름)
유피테르 (로마 이름)

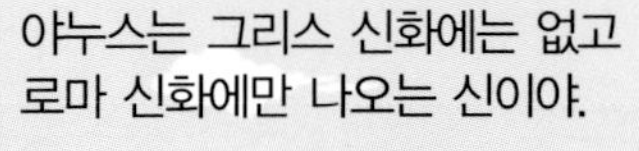
야누스는 그리스 신화에는 없고 로마 신화에만 나오는 신이야.

나 야누스는 두 얼굴을 가지고 있는 로마의 신이지. 문을 지키는 수호신이라고. 어흠!

로마인들은, 문은 앞뒤가 없어서 문을 지키는 수호신 야누스는 두 개의 얼굴을 가지고 있다고 믿었어.
들어오는 사람은 검문하고
나가는 사람에게는 작별 인사를 하는 거지.

문은 시작을 상징하지.
한 해의 문은 1월이고, 1월을 뜻하는 영어 'January' 도 야누스에서 유래한 말이지.
야누스 Janus
1월 January

우리는 보통 두 얼굴을 가졌다고 생각되는 사람에게 이렇게 말해.
당신은 야누스의 얼굴을 가지고 있어.

어떤 경우에는 이 얼굴로
아이고~ 정말 정말 존경합니다.

다른 경우에는 다른 얼굴로 행동한다는 뜻이야.
흥! 얼마나 한심한 사람인지 몰라요!

법도 야누스의 얼굴을 가지고 있다고 말할 수 있어.

법의 두 얼굴은 한쪽은 평화의 얼굴이고
다른 쪽은 투쟁의 얼굴이지.
법

법의 목적이란 얼굴은 평화고
그 수단이란 얼굴은 투쟁이라고 말할 수 있어.
목적
평화
법
투쟁
수단

목적과 수단은 결코 서로 분리될 수 없으니까.

목적이 있으면
목적에 도달할
수단도 있지.
목적
수단

예를 들어, '내가 서울에 가야겠다.'는 목적이 있으면
서울에 가는 수단도 함께 생각하게 돼.
비행기를
타고 갈까?
기차를
타고 갈까?
아니면
직접 운전을
하고 갈까?

여러 가지 수단을 생각하고
가장 필요에 맞는 수단을
선택하는 거지.
기차

목적과 수단이 서로 분리될 수 없는
것처럼
목적
수단

평화와 투쟁도 결코 서로
분리될 수 없어.
평화
투쟁

법이 평화를 이루기 위해서는
투쟁이 불가피하니까.
법
평화를
위하여!

왜냐하면 법이란 여러 사람의 이익을
대변하기 때문에 집단이나 지역에 따라
그 법에 대한 이익의 기준이 달라지기
때문이지.
△△법

어느 법이든 반대하는
사람도 있고
△△법

찬성하는 사람도 있고,
△△법

오늘 반대하는 법도
내일은 찬성하기도 하고,
생각이
바꼈어.
△△법

이렇게 법의 일생은
역동적이야.
법

법은 목표를 세우고 그것을 이루기 위한
헌신적인 투쟁을 통해서 생겨난 것이니까.
투쟁
법
목표

인간 역사의 과정에는 그 어떤 것도 완전히 무의미한 것은 없어.

또박 또박

모든 과정은 목적을 위해서 일어나고

그 목적은 수단을 포함하기 때문에 역사란 목적을 위한 분투의 노정이라고 말할 수가 있지.
으으윽~
목적!

또 법이란 두 얼굴을 가진 사나이 헐크*처럼

평화와 투쟁이라는 두 얼굴을 가지고 있어서
투쟁
법

야누스와 같다고 말한다는 것을 기억해.

***헐크** – 화가 나면 얼굴이 변하는 영화 주인공.

혹시 정의의 여신에 대해 알고 있니?

그리스 신화에서는 아스트라이아와 디케가 나오고 로마 신화에서는 유스티티아로 나오지.
그리스 신화
로마 신화

보통 법원 앞에 정의의 여신이 서 있는 경우가 많은데, 정의의 여신을 잘 관찰해 보면, 작품마다 눈을 뜨거나 가리고 있는 등 모습이 다르지만, 공통적으로 양손에 무엇인가를 들고 있어.

이 유스티티아라는 말에서 영어의 정의에 해당하는 말이 나온 거야. 정의의 여신은 시대를 걸쳐 여러 가지 모양으로 많은 작품이 만들어졌어.

정의의 여신
유스티티아
Justitia

정의
Justice

혹시 그게
뭔지 아니?
저울과
칼이요.
번쩍!

그럼, 왜 저울과 칼을
들고 있을까?
저울과 칼은
무엇을 상징할까?

정의의 여신의 모습은
야누스처럼 두 얼굴을
가진 법의 상징이야.

법이 가지고 있는 야누스의 두 얼굴은
법

정의의 여신이 양손에 들고 있는
저울과 칼로 표현되지.

이쪽 얼굴이 평화고 저쪽 얼굴이 투쟁이라고 말한
것을 생각해 보면 저울은 평화의 얼굴이고
법

칼은 투쟁의 얼굴이라는 것을 금방 눈치챌 수 있겠지?
투쟁
법

정의의 여신이 들고
있는 저울은
천평칭이라고 부르는
저울이야.

양쪽에 접시가 있고 그 접시에 물건을 올리고 저울대를 오가면서 균형을 이루는
방식으로 무게를 비교 측정하는 기구지.

다른 손에는 양날의 칼을 가지고 있어. 칼을 쳐들고 있기도 하고 내리고 있기도 하지만 하여튼 칼을 들고 있는 건 공통이야.

인터넷을 검색해 보면 여러 가지 '정의의 여신'의 모습을 볼 수 있을 거야.

여러 작품을 감상해 봐.

여기서 예링의 말을 직접 들어 볼까?
"세상의 모든 법은 싸워서 얻어진 것이며, 모든 유효한 법 조항들은 반대하는 자들에게서 싸워 빼앗아 얻은 것이며, 모든 법은, 한 민족의 법이나 개개의 법이나 언제든지 자기를 주장할 준비가 되었다는 것을 전제하고 있다. 법은 결코 논리가 아니라 힘의 개념이다. 그러므로 정의의 여신은 한 손에는 천칭저울의 접시를 들고 법의 평형을 만들고, 다른 한 손에는 칼을 들고서 법을 주장한다. 저울이 없는 칼은 사실 그대로 폭력이고, 칼이 없는 저울은 법의 무기력이다."
(예링, 《권리를 위한 투쟁》, 제4판, 1874, 13쪽)

정의의 여신이 가지고 있는 저울은 법이 엄격하고 공정하게 판단해야 한다는 뜻이고,

법 앞에 모두가 평등해요.

칼은 그 공정한 판단에 굴복하지 않는 자들에게 결과를 집행하는 권세를 나타내는 거야.

헉!
법을 따르지 않았으니 벌을 받아야지.

그러니까 법은 공정성과 집행하는 권력을 동시에 가지고 있어야 법으로서 역할을 제대로 한다는 거지.
법

법이 공정해도 권력이 없으면 기절하거나 실신한 상태처럼 무력하고,
추욱~
이봐. 법에 따라 행동해야지.
법
훗~

반대로 권력만 있고 공정하지 못하면
흐응~ 둘 중에 잘못한 사람이 있단 말이지.
툭~툭~
법

말 그대로 폭력일 뿐이라는 거야.
버럭!
표정이 마음에 안 들어! 잘못한 건 너다!
법
따악!

그래서 법에는 저울과 칼이 동시에 나타나지.
법

정의의 칼을 휘두르는 힘과 저울의 균형이 조화를 이루는 곳에서만 법은 완전한 상태가 될 수 있어.

역사를 잠시 돌아보기만 해도 얼마나 많은 법이 불공정했고, 폭력적이었는지 금방 알 수 있어.
법

그럼 앞에서 본 법의 두 얼굴을 정리해 보자.

공평한 정의의 얼굴은 평화의 얼굴이고,
칼을 든 엄한 얼굴은 평화를 실현하기 위해서 평화를 방해하고 교란하는 모든 불법을 엄하게 처벌하려는 투쟁의 얼굴이지.
법

아직도 어려워?
법의 목표나 목적이 평화라는 말은 그래도 좀 쉽게 이해가 가는데 법은 투쟁이라고 말하는 것은 좀 이해가 힘들어요.
투쟁

그건 아마 여러분이 현재 평화롭게 살고 있어서 그럴 거야.

대체로 평화롭게 잘살고 있다면 법이 투쟁이라는 것은 좀 낯설게 느껴지지.
뭐가 불만이라고 투쟁이야?

반대로 거친 현실에 사는 사람은 법이 투쟁이라는 게 더 쉽게 이해될 거야.
우리의 생존권을 보장하라!
와아
우

사람은 자기가 겪어 보지 않은 것은 잘 모르는 법이거든.
투쟁

어떤 사람은 법의 평화의 얼굴만 보고 다른 사람은 법의 투쟁의 얼굴만 보기 때문에
씨익-
법
아!!

어떤 사람은 법을 평화라고 생각하고, 어떤 사람은 법은 투쟁이라고 생각하게 돼.
평화
권리
법
투쟁
손해
불공정

예링은 평화를 누리고
편안하게 사는 사람들을
위해서 다른 사람들은
일하고 싸워야 한다고
말해.
법
왜냐하면 싸우지
않으면 법은 얻어지지
않기 때문이지.
이것이 법의
두 얼굴이야.
투쟁
법

나는 지금 평화를 누려도 누군가는 이 평화를 위해서
싸우고 있고,

반대로 내가 지금 싸우고 있다면 누군가는 그 때문에
평화를 누리고 있겠지.

앞에서 말한 헐크 기억하지?
법이 그렇다고 말할 수 있어.
법
으잉~!

보통 때는 평범하고 성실하고 평화적인 사람이
선배님~ 저…
기획서 정리하는 것
좀 도와주세요.
당연히
도와야지요.
가져와
보세요.

일단 자신의 권리가 짓밟히거나
부당하게 공격을 받으면
꾸욱~!
으으으으~

무섭게 변하는, 두 얼굴을 가진 사나이 말이야.
크아악!

권리 침해가 없다면
투쟁도 없겠지만
권리
랄라라

현실에서는 항상 권리 침해가
발생하기 마련이니까.
권리
스윽~

개인이나 집단이나 국가나 자신의 권리가
침해당하는 경우에 어떻게 할 것인가 하는
결정을 해야만 해.
어….
어떻게
하지?
권리

그 침해를 받아들이고 그냥 견딜 것인가?
하아…. 그냥
내가 참지, 뭐.
원래부터
내 것이 아니었을
지도 모르고….
중얼중얼~
권리
흐흐흐~

아니면 희생을 감수하고라도 투쟁을 할 것인가?
내 권리야!
절대
안 돼!!
권리
너 그러다
다친다!

물론 누가 어떤 결론을
내리는가는 각자의
선택이겠지만
어느 길로
가야 하나?

권리 투쟁에서 한번 양보하면
끝까지 물러서게 된다는
결과를 염두에 둔다면
더 없냐?

자신의 권리를 위해서 투쟁하는 것은
중요한 결정이지.
권리
내 소중한
권리를
지킬 거야!

누가 나의 것을 강제로 빼앗아 가고 내가
아무런 저항 없이 그것을 참고 견딘다면,
이거
하나 정도는
괜찮지?

그 사람은 계속 하나씩
하나씩 더 요구하고,
까닥 까닥,
또?

결국 나의 모든 것을 빼앗길 수도 있지.
흐흑~
마지막 남은
하나라고요.
그래서 어쩌라고?
처음에 그랬던
것처럼 그냥
참고 견뎌!

우리가 잘 아는
옛날이야기를
한 번 생각해 봐.

호랑이가 떡을 이고 가는 할머니에게 "떡 하나 주면 안 잡아먹지."라고 말했어.

할머니는 두려워서 떡을 하나 줬어.

덜덜

다음 고개를 넘자 또 호랑이는 "떡 하나 주면 안 잡아먹지." 했어.

할머니는 또 떡 하나를 줬어.

덜덜덜

호랑이는 계속 요구하고 할머니는 또 주고 마침내 가지고 있는 모든 떡을 주고, 이제 줄 떡이 없자 호랑이는 할머니의 생명을 요구했어.

처억

더 이상 호랑이에게 줄 떡이 없는 할머니는?

터엉

결국 자신의 생명을 빼앗기게 된 거야.

으악!

또 할머니를 잡아먹은 호랑이는 이제 할머니로 변장해서 할머니의 손자까지 잡아먹으려고 했지.

얘들아~
할머니란다.
문 좀 열어 주렴.

권리가 침해당하는 것도 이 이야기에 비교할 수 있어.

하나를 잃으면 야금야금 결국 모든 것을 잃을 수 있다는 거지.

우르르~

그래서 우리는 권리가 침해를 받을 때, 그것이 인격을 침해한 것이라면, 희생을 각오하고라도 처음부터 분명하게 권리를 지켜야 해.

안 돼!

개인이든 집단이든 민족이든 자신의 권리가 침해당하면
권리
권리침해

반드시 권리를 지켜 내야 하는 의무가 발생하고,
권리
권리를 지킬 의무
권리침해

그러한 의무에는 필연적으로 권리를 위한 투쟁이 수반돼.
투쟁
권리침해

그뿐만 아니라 투쟁을 할 때는 경우에 따라서 자신의 모든 것을 잃을 각오까지도 해야 하지.
절대 넘지 마시오.
꿀꺽

그래서 권리 투쟁은 때로는 귀찮고 번거롭고, 때로는 무섭고 두렵기도 해.

그렇더라도 이러한 나태함과 두려움을 극복하고 자신의 권리를 쟁취하는 것은 피할 수 없는 운명과 같아.
투쟁

투쟁이야 말로 법의 가장 역동적인 모습이지.

법이란 탄생부터 격렬한 고통을 수반하여 자신의 목적을 획득하기 위해 거침없이 투쟁하는 역동성의 현실이지.
투쟁
법
투쟁 없이 법은 없다!

이런 점에서 예링은 사비니와 달라.

모든 법은 싸워서 얻어진 것이라는 말이 이제 이해가 되지?
끄덕~끄덕~

법은 순수한 이론이나 논리가 아니라 실천적 힘의 개념으로서 목적과 수단을 가지고, 그 목적은 평화고 그 수단은 투쟁이라는 말도 마찬가지야.
평화를 위해서 투쟁합시다!
와아~
법

법의 목적인 평화와 법의 수단인 투쟁은 항상 함께해.
투쟁
평화

정의의 여신이 저울과 칼을 가지고 있다는 것을 한 번 더 상기하면서 칼 없는 저울은 무기력이고 저울 없는 칼은 폭력이라는 가르침을 분명하게 기억해 둬.

칼이 있을 때 저울의 균형이 보장되고
모두가 법을 따를 수 있도록 도울게.

저울의 균형이 있을 때 칼이 정당성을 얻는 거야.
올바르게 법이 집행되도록 도울게.
법은 이와 같이 양면을 가지고 있어.

이제 여러분도 법은 평화를 실현하고 있지만 이 과정은 힘든 투쟁의 결실이라는 것을 배웠어.
평화
법

법이 야누스의 얼굴이라고 한 말이 이해되지?

법의 이러한 두 얼굴은 우리가 살아가는 삶의 양면과도 같아.
웃는 날도 있고
힘든 날도 있는 거죠.
법

법이란 우리 삶과 떨어져 있는 것이 아니라 우리 삶의 뿌리에까지 스며들어 있는 현실성이야.
법

우리가 비록 의식하고 살지는 않아도 법 없이 산다는 것은 도무지 불가능해.
법

수많은 법은 수많은 삶의 현실이지.
청소년보호법
도로교통법

가끔 우리가 하는 행동에 대한 법이 없는 경우도 있어.
어, 그거 넣어도 되는 건가?
첨가제
음식물

법이 만들어지는 시간보다 세상이 빨리 변하니까.
헉헉
법
첨가제
아, 아직 관련법이 없는데….

하지만 시간이 지나면 그 법도 만들어지겠지.
몸에 해로운 성분이 있는지 검사해 보자.
첨가제

그것도 권리 침해에 대해서 권리를 위해 투쟁하는 사람들에 의해서 말이야.
우리는 안전한 음식을 먹고 싶다!
음식물 첨가제 성분을 밝혀라!

새로운 법이 태어나게 되고,
새로운 법

태어난 법은 우리의 행동을 지배하다가 다른 법에게 자리를 내어 주고 소멸될 거야.
법
이제 나도 낡은 법이 되었네.

옛날보다는 지금이 인간의 권리에 훨씬 예민한 시대이고
권리

인권에 대해서도 명백한 책임을 요구하는 시대이다 보니
국가인권위원회

이전의 시대보다 더 많은 법이 필요해.
법
권리를 지켜줄 다양한 법이 필요해요.
법
권리

그 말은 그만큼 더 많은 권리 투쟁이 있다는 뜻이야.
권리 투쟁

법은 싸워서 얻어지는 것인 만큼 우리가 우리의 권리를 위해 언제든지 싸울 준비가 되어 있다면 법은 우리를 통해서 자신의 목표인 평화를 더 많이 실현해 갈 수 있을 거야.

사회가 복잡해지고, 우리 삶도 복잡해지고, 사람들의 관계도 복잡해지고, 그만큼 우리의 권리 규정도 복잡하고 권리의 투쟁도 많아질지도 몰라.
여기 권리 규정을 보면 말이야.
권리규정
참, 많다.

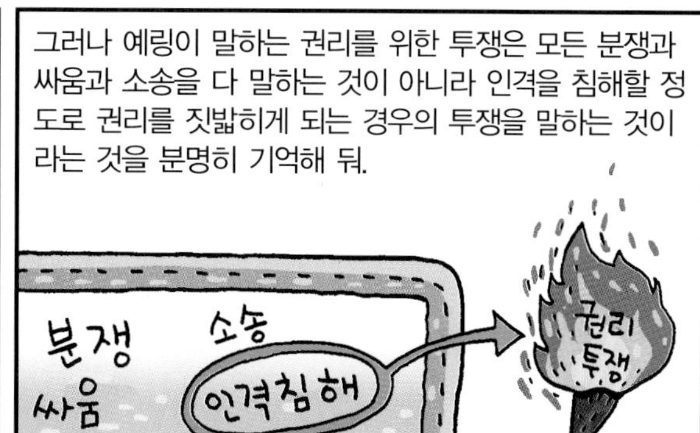
그러나 예링이 말하는 권리를 위한 투쟁은 모든 분쟁과 싸움과 소송을 다 말하는 것이 아니라 인격을 침해할 정도로 권리를 짓밟히게 되는 경우의 투쟁을 말하는 것이라는 것을 분명히 기억해 둬.
분쟁
소송
싸움
인격침해
권리 투쟁

관대하고 친절하고, 너그럽고 잘 용서하고
괜찮다. 놀다 보면 그럴 수도 있지.

다른 사람의 어려움에 동감하고 잘 도와주고 자선을 베풀고,
불우한 이웃을 도웁시다.
모금함

쉽게 타협하고 서로 양보하고
조금씩 양보하여 함께 일해 봅시다.

이러한 아름다운 마음씨를 무시하는 나라는 세상에 없어.

실제로 권리에 대해 더 예민한 선진국일수록 오히려 이런 미덕에 더 적극적이지. 평화라는 것은 반드시 법의 문제만은 아니니까.
좋은 일을 위해 써 주세요.
기부

문제는 인격이 근본적으로 손상을 입게 되는 그러한 권리침해를 받았을 때 과연 어떻게 행동해야 하는가야.
헉!
권리 침해

평화를 위해서는 게으름과 두려움으로 피하지 말고, 용감하고 당당한 권리 주장이 필요하니까.
모른 척하거나 그냥 넘어가지는 않을 거야!
권리
촤악
투쟁
권리 침해

이것이 법의 야누스 얼굴이야.
법

# 사비니에 대해서

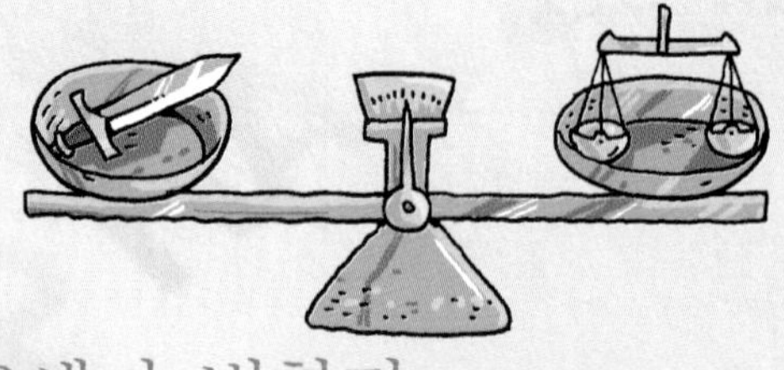

▲ 프리드리히 카를 폰 사비니

사비니는 19세기 법학자 중에 가장 영향력 있고 존경받는 사람 중에 하나입니다. 사비니는 1779년 독일 프랑크푸르트에서 태어났습니다. 열세 살에 부모님이 돌아가시고 고아가 되었습니다. 그래서 1795년까지 다른 사람 밑에서 자랐으며, 몸이 약하고 건강이 좋지 않았지만 그 당시 독일 형사법 개혁의 선구자였던 유명한 법학자 밑에서 열심히 공부했습니다. 사비니도 예링과 마찬가지로 예나, 라이프치히, 할레 등 독일의 여러 도시를 옮겨 다니면서 공부했습니다. 그리고 다시 처음에 공부했던 마부르크로 돌아와 박사학위를 마치고 형법을 가르치는 강사로 일했습니다.

사비니는 1803년에 소유법이란 유명한 논문을 쓰고 그것이 걸작으로 평가되어서 전 유럽에서 명성을 얻게 되었습니다. 독일의 유명한 낭만주의 시인인 브렌타노의 여자 형제와 결혼하고 독일과 프랑스 등을 여행하면서 로마법에 대한 자료를 광범위하게 수집했습니다. 이러한 연구들이 아주 성공적이어서 그는 1813년에 유명한 베를린 대학에 로마법 교수로 초대받았습니다. 교수로 가르치고, 대학 학장으로서 행정도 하고, 로마법에 대한 자문도 하면서 아주 바쁜 세월을 보냈습니다.

사비니의 연구 영역은 주로 로마법입니다. 예링이 나타나기 전에 사비니는 가장 훌륭한 법학자이었으며 로마법을 잘 아는 사람이라고 말할 수 있습니다. 그는 베를린에서 세상을 떠나기까지 대법관도 하고 프로이센 정부에서 일도 하면서 많은 책을 출판했고 당대 최고의 법학자로 인정을 받게 되었습니다.

사비니 당시 나폴레옹이 유럽을 장악하자 이에 항거해 독일에서는 민족주의 물결이 일어나고, 독일 민족 전체에 적용될 수 있는 독일 보통법에 대한 요구가 일어났습니다. 사비니는 법전을 만들려는 요구에 반대해서 《입법 및 법률학에 대한 우리 시대의 소명에 관하여》라는 책을 썼습니다. 한 나라의 법전을 편찬하는 것은 민족정신에 대한 깊고 폭넓은 인식을 필요로 하기 때문에 사비니는 조급한 법전 편찬에 대해 부정적인 입장이었습니다. 사비니의 법에 대한 인식은 낭만주의의 영향을 받았습니다. 낭만주의는 독일 정신에서 가장 활발하게 전개된 시대정신으로 민족정신의 기원에 대하여 매우 열정적이라는 특징이 있었습니다.

사비니는 법은 합리적이고 형식적인 입법을 통해서 이루어지는 것이 아니라 민족정신에서 비롯되는 것이며, 관습 등으로 무의식 가운데 뿌리를 내리고 마침내 판사의 판결을 통해서 스스로 표현되는 것이라고 주장했습니다. 그는 법은 "어디까지나 처음에는 관습과 민중적 신념에 의해, 그 다음에는 판결에 의해 발전한다. 따라서 그 과정은 입법자의 자의(恣意)에 의해서가 아니라 내부에서 소리 없이 움직이는 힘에 의해 진행된다."고 생각했습니다.

법

# 제7장 법 감정

권리
권리
법감정
권리
권리
권리
권리
법감정

권리를 위한 투쟁은 무분별한 시비나 분쟁이나 다툼이나 소송을 의미하는 것이 아니라고 이미 말했지.
내 말이 맞거든!
네가 틀렸다니깐!

예링 자신이 이미 머리말에서 부탁했듯이 그를 매사에 분쟁을 부추기는 사람으로 오해할 필요는 없어.
이런 건 권리 투쟁이 아니지!
잡~

그가 말하는 것은 사람이 권리를 침해당해
후우~
권리

인격이 손상을 입었다고 느낄 때
털썩!
으윽~

두려워서, 귀찮아서, 게을러서 권리 손상을 받아들이며 굴종하지 말라는 거야.
푸욱~
그냥 내가 참자.
크크크~

권리가 침해당했을 때, 그 때문에 인격이 손상을 받았을지를 어떻게 구별하나요?
좋은 방법이 없을까요?

뜻이 있으면 길이 있듯이 찾는 사람에게는 방법이 있어.
법감정
그것은 '법 감정' 이란 거야.

이제 '법 감정' 에 대해 배워 보자.

'법 감정' 이란 자신의 권리가 침해를 받아 인격적인 고통을 느낄 때 생겨나는 감정이라고 말할 수 있어.
법감정

흔히 사람들이 느끼는 동감이나 쾌락, 고통과 비슷해.
동감이나 쾌락이나 고통 등은 감정의 표현이듯이 법 감정도 그렇다고 할 수 있지.

우리말에 보면 '감정 있다.' 는 말이 있지?

너 나한테 감정 있냐?

이때 감정이 있다는 말은 마음에 불편이나 불만이 있다는 뜻이야.
턱!
종종 "감정 있나?"는 말은 시비를 거는 표현으로 쓰이기도 해.
꾸욱~

마찬가지로 나의 권리가 침해를 받거나 공격을 받으면
오! 운동화 멋있는데~

사람들은 그 침해받은 권리에 대해서 법적인 감정을 가지게 돼.
내 발에 잘 맞겠어. 이제부터 내 거야! 알겠지?

인격 손상으로부터 받는 정신적 고통에서 벗어나기 위해 권리 주장에 대한 욕구가 생기지.

으윽, 이건 분명히 잘못된 일이야.

이것이 법 감정에 근거한 것이라고 말할 수 있어.
법 감정

법에 대한 지식이 없는 사람이라도 법에 대한 감정은 누구나 가지고 있거든.
내 운동화 돌려 줘!
법감정

사랑에 대해서 몰라도 사랑의 감정은 누구나 가지고 있는 것처럼.
제가 도와 드릴게요.

느끼는 것에는 지식이 필요 없거든.
왠지 가슴이 두근거리네.

간단히 말해 법을 아는 것의 문제가 아니라 결국 느낌의 문제라는 것이지.
법감정


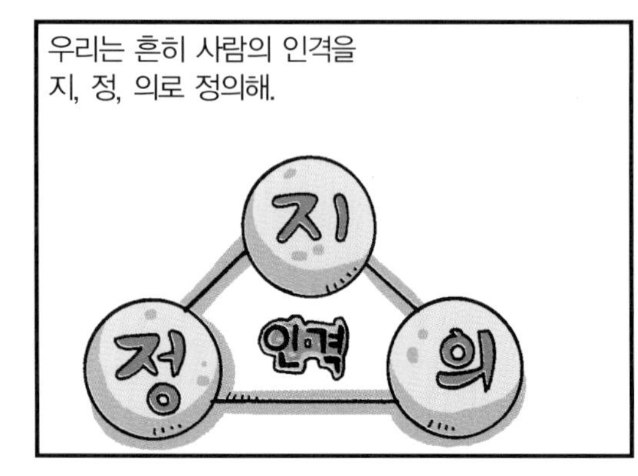

우리는 흔히 사람의 인격을 지, 정, 의로 정의해.
지
정
인격
의

인간은 하나의 인격체로서 지, 정, 의를 가지고 있다고 말하는 것은, 인간은 지성과 감정과 의지를 가진 존재로서 대우해야 한다는 것을 말해.
지성
감정
의지


흔히 말하는 인간의 권리나 인권이라는 것도 인간의 인격권과 관계가 있는 말이야.

다음과 같이 말하면, 인간의 권리나 인권에 대한 투박한 정의는 될 수 있을 거야.
"인간은 하나의 인격체로서 자유롭게 행동하고
인권
자신의 행동에 책임질 권리가 있다."

법이 인격적 존재인 인간에 의해서 인간을 위해서 만들어지는 것이라면,
그 법엔 인격적 활동이 반영되어 있어.
법
깡 깡

법이 보장하는 권리에 따라서 인간이 권리 침해에 대해 인격적으로 반응하는 것이 당연한 일이지.
앗, 내 건데.
권리
권리

법 감정이란 법에 대한 인격적 감정이라고 해도 될 거야.

법을 이해하고자 할 때 지성에 의존하는 견해도 있고, 의지에서 답을 찾으려는 견해도 있어.
지성
의지

그러나 예링은 사람으로 하여금 자신의 권리에 대해 투쟁을 하게 하는 것은 법 감정이라고 말해.
권리
투쟁
법감정

권리 투쟁은 법 감정에 근거한 것이라고 말할 수 있으니까.
보글 보글
활활
권리투쟁
법 감 정

예전 경험을 떠올려 보면 어렵지 않게 이해할 수 있을 거야.
아! 내가 이랬구나.
일기
희생을 각오하고 권리 주장을 하는 경우에 지성이나 이성의 논리적 분석이나 분석적 결과에 대한 의지의 결단보다도 인격적인 모욕에 대해 고통을 겪는 감정이 더 많은 역할을 한다고 여겨지거든.
내 소중한 차가 저런 차 때문에….
경차라고 무시하는 거야?

흔히 "이런 모욕은 절대로 못 참는다."고 말할 때 이것은 감정의 표현이 분명하니까.
경차라고 무시하다 니….
보상이고 뭐고 필요없어! 법대로 해 법대로!
법 감정

알거나 원하기 전에 먼저 느끼는 것이 감정이거든.
아야!

느낌이 가장 직접적이지.
킥킥

어떤 행동이 사람에게 인격에 대한 손상이나 도전으로 다가오는 것은 이성이나 의지 때문이 아니라 그 순간에 그 사람의 마음에 치솟아 오르는 감정 탓이야.


쿡-
헉


감정이 받는 고통이 권리를 주장하도록 하는 거지.

킥킥
두고 봐라.


예를 들어 친구가 기분 상하는 말을 해서 당장 한판 붙고 싶은 욕구가 치밀어 오르는 것은 감정 때문이지.

법도 비슷하다는 거야.
법의 생명은 개인이 가지는 법 감정에 의지하고 있으니까.

법
법 감정


또 법이란 개인이 권리 투쟁을 해서 이룬 결과이기도 하고.

권리투쟁
화이팅
법


우리는 종종 영화에서 중세의 기사들이 자신의 명예에 대한 모욕을 설욕하기 위해 기꺼이 생명을 걸고 결투를 신청하는 것을 봤어.

흥!
결투를
신청한다!

왜 그런지
생각해 본 적 있어?
그냥 재미로
그럴까?


그것은 군인들이 명예에 아주 예민한 법 감정을 가지고 있기 때문이야.

명예
법감정


기사들에게 명예는 자기 생명과 같은 가치로 여겨지는 소중한 것이기에

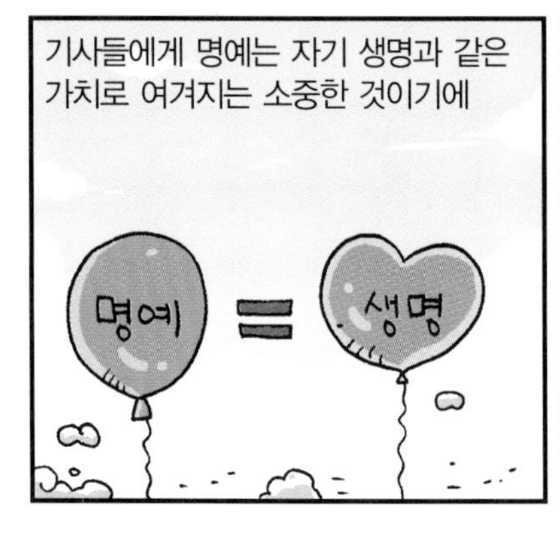

명예
=
생명


명예에 손상을 받으면 자신의 존재감과 인격에 치명적인 손상으로 느끼고 죽음을 무릅쓰고 결투를 감행하게 된다는 것이지.

펑!!
명


결투가 불법이라도 완전히 막지는 못해.

깡 깡,
빽!

예를 들면 명예 훼손에 대해 법이 정한 형벌이 기대하는 만큼 충분하지 않다고 생각하면 법이 금지하더라도 기꺼이 결투를 선택하지.
벌금 얼마야?
....

명예를 모독한 벌로 죽이고 싶은데 법이 정한 형벌은 벌금 몇 푼으로 끝나면, 비록 불법이지만 결투를 통해서 기꺼이 복수를 감행한다는 말이지.
어허 이 사람들! 이럼 징역 1년 형에….
벌 받을게. 됐지!
비켜!!
법

법이 주는 형벌이 권리 침해를 당한 사람이나 계급의 법 감정을 만족시키지 못하는 경우에 이런 일이 생길 수 있어.
....
명예
법

예링은 코르시카인의 피의 복수에 대해서 말해.

코르시카인의 국법은 피의 복수를 금하고 있어.
뎅강

그러나 피의 복수를 실행하지 않는 코르시카인은 자기 민족의 구성원으로부터 멸시를 받지.
흥! 바보
자존심도 없는 놈 같으니….

피의 복수는 코르시카의 전통이니까.
난 너 같은 자식 둔 적 없다!
아부지.

하지만 피의 복수를 따르면 법에 의해 처벌을 받아.
에헴!
아부지.

이것이 바로 법과 국민의 법 감정이 일치하지 않는 데서 오는 경우라고 볼 수 있어.
?!
법감정
법

마찬가지로 전통적으로 결투가 명예를 지키는 의무인 경우에 결투를 피하는 것은 자신의 명예를 훼손하는 일이겠지.
법이냐?
명예냐? 그것이 문제로다.
법
명예

이제 법 감정에 대해 이해가 되지?

우리나라 옛날 양반들도 자신의 결백을 주장하기 위해 자살을 하는 경우가 있었어.

제 목숨을 걸겠사옵니다!
읍


이것도 어찌 보면 생명을 건 권리 투쟁이라고 말할 수 있지.

결백


자신의 결백을 증명하기 위해서 생명을 걸 정도면 진실하다고 인정되기 때문이겠지.

우린 믿어 줄게.

반대로 서양에서는 어떤 혐의를 받을 때 자살하면 자신의 죄를 인정하는 것이 돼.

넌 뭐야!

들통날까 봐 죽은 건가?

자신이 결백하다면 끝까지 결백을 주장해야 돼.

난 결백하오!


자신의 결백을 주장하다가 죽음을 당하는 것이 자살보다 더 분명한 자기주장이라는 거지.

R·I·B
1971-
2009
난 결백하다.


또 일본 사무라이들에게서 다른 예를 볼 수 있어.

지금 우리가 생각하기에 별 것 아닌데도 단순한 실수를 만회하기 위해서 할복자살*을 하는 것을 보면 도대체 뭘 하자는 건지 싶을 때가 종종 있어.

주군의 커피에 설탕 대신 소금을 넣다니…. 할복하겠다.

스겅

*할복자살 – 칼로 자기 배를 갈라 스스로 목숨을 끊음.

우리는 사무라이들이 갖고 있는 사무라이 집단의 감정을 이해하지 못하기 때문인 거지.

내 맘을
이해해 줘.


각 사람마다 권리를 위한 투쟁의 기준은 다를 수 있어.

난 동그라미.

난 세모.

왜냐하면 법 감정이 자극을 받는 근거가 사람의 직업이나 신분 계층, 민족마다 다르기 때문이지.

웅성

웅성

직업, 계급, 민족에 따라서
자신의 권리를 주장하는 법 감정이
다를 수는 있지만

일단 자기 존재의 내면적 근거인 인격이 침해를 당했다고 느끼는
법 감정이 촉발하면 어떤 희생을 각오하고라도 투쟁을 해서
자신의 인격을 되찾게 한다는 점은 동일해.
꾹
꾹
법 감정
투쟁
화악
권리투쟁
법감정

모든 사람이 다 똑같은 방식으로
똑같은 것에 법 감정을 가지지는
않는다는 것과
뭔가 투쟁이
필요해!
왜?
사서
고생을

권리 투쟁은 법 감정이 침해받은
결과로 생겨난다는 것을 기억해 둬.
반대
반대
못 참겠다!
거참

권리 투쟁이 모든 사람의 문제가 될
수도 있는 것도 법 감정 때문이야.
화악
법감정

권리 투쟁이 법에 대한
충분한 지식을 요구한다면,
도로교통법
사법
거래법
민법
형법

평범한 서민들은 권리 투쟁을
하기가 쉽지 않겠지?
나 돌아갈래!

보통 사람들은 법이 무엇인지
법이 어떻게 만들어지며, 어떤 법이
어떤 목적과 절차를 가지고 있는지도
모르는 경우가 대부분이니까.
넌 누구냐?
…
법

권리 주장을 위해서는 법에 대해
알아야만 할 수 있다고 말한다면,
권리투쟁

과연 얼마나 많은 사람들이 법에
근거한 권리 주장을 할 수 있을까?
권리투쟁

권리 주장이란 '빛 좋은 개살구'
일 뿐이지.

그러나 사람은 누구든지 알지 못해도 느낄 수는 있으므로, 법에 대해서 몰라도 법을 느낄 수는 있어.
시원한 음료야 쭉 마셔.
오~

법에 대해서 가지는 이 느낌이 법 감정이야.
우웩! 식초 잖아!

그 느낌 때문에 권리를 수호하는 싸움에 기꺼이 참여하는 거야.
날 속이다니!
권리투쟁

실제로 우리나라 많은 법 가운데 우리 국민 대부분이 이름도 처음 듣는 법도 있을 것이고,
법
법
상법
사이버 보안법
노동법
법
관법
방송법
환경법
법

설사 자주 듣는 법이라 하더라도 그 법의 내용에 대해서는 거의 모르는 경우가 대부분이야.
뭐가 이리 복잡해.
법

이처럼 사실 대부분의 사람들은 법에 대해 아는 것이 별로 없어.
얘 누구야?
몰라
법

그래서 사실 법적인 문제가 생기면 변호사나 법률 구호 단체를 찾게 되지.
법률사무소
어딜 갈까?
변호사

법 감정은 사랑과 같이 감정으로 느끼는 거야.
법감정
=
사랑

예를 들면 내가 사랑하는 여자에게 가지는 질투심처럼 법 감정도 다르지 않아.
저, 저것들이.

사람들이 권리에 대한 투쟁을 하는 것은 이러한 감정에 따른 것이지.
잠깐 실례합시다!
퍽

예를 들면 누군가의 소유가 부당하게 침해를 당하면,
대형마트
내 일조권!

그는 소유권법에 대해서는 전혀 지식이 없다 할지라도 자기 소유에 대한 이러한 침해는 그가 그동안 그 소유물을 위해서 수고했던 시간과 열정을 침해하는 것으로 그 자신의 인격에 대한 침해로 느낀다는 거야.
내 권리를 찾아야겠어.
sweet home

그래서 설사 그 소유물보다 더 많은 돈을 들여야 한다 할지라도 반드시 이 소유권을 지켜야 한다는 감정이 생겨나게 되는 거야.
꼭 찾아주세요!
네!
고소장

자신의 존재에 대한 인격적 가치에 손상을 주는 도전을 받을 때

사람은 견디기 어려운 정신적 고통을 느끼기 때문이지.
아, 우울해.

권리에 대한 어떤 도전이 단순히 이익의 문제에 지나지 않는다면 그냥 넘어갈 수 있어도,
대충 이거 받고, 넘어갑시다.
....

대부분의 경우 이것에 굴복하는 것은 자기 인격에 대한 침해를 수용하는 것과 같다는 느낌을 갖게 되고,
돈도 아꼈는데 왜 이리 억울하지?

그래서 결국 자신의 삶을 지켜 내지 못하는 정신의 고통으로 이어지게 될 것이므로,
아빠! 이제 우리 그늘 속에서 사는 거야?

이 도전에 맞서서 싸울 것인가, 아니면 굴욕감을 안고 평생을 살 것인가 하는 선택 앞에 서게 되는 거야.
여러분은 어느 쪽이야?
권리
굴욕

법의 지식이나 법 신념이 이러한 선택을 강요하는 것이 아니라 내면에서 일어나는 법 감정이 그렇게 하는 것이지.

음

내 안에 뭔가 있다.

법감정

권리 침해에 대해서 갖게 되는 감정이 법 감정이야.
권리
법감정

이제 여러분도 지금까지 많은 법 감정을 가진 적이 있었다는 것을 이해하겠지?

권리를 위한 투쟁은 사실 개인에서부터 국가에 이르기까지 동일한 성격을 가지고 있으며,

권리 투쟁
권리

그 방식은 주먹다짐이나 결투에서부터 민사 소송에 이르기까지 다양하다고 말할 수 있어.

대부분의 권리를 위한 투쟁은 법에 기초해서 법의 절차를 통해 실현되는 것이 가장 바람직해.

법
절차
권리투쟁

서양의 중세 시대나 미국의 개척 시대에 있던 결투는 오늘날엔 법적으로 허용되지 않아.

떼-
떼-

그렇지만 과거의 결투 감정과 오늘 날 법 소송에서 가지는 감정은 결국 침해된 자신의 인격을 지키려는 싸움이라는 성격에서 같다고 말할 수 있어.

전투닷!
과거
이의를 제기합니다!
현재
권리
미래

예링은 법 감정을 우리 몸에 비유해서 설명해.

사실 대부분의 사람들은 의사가 아니기 때문에 뇌나 간, 폐, 대장, 신장 등, 우리 몸의 중요한 기관에 대해서 별로 지식이 없어.

법감정
야! 그러다 몸 버려!
으하하!

몸의 어떤 기관이 무엇인지 어떻게 생겼는지 어떤 일을 하는지 거의 모르고 살지.

근데, 몸 어딜 버린다는 거야?
어, 그게….

하지만 몸의 기관에 문제가 생기면 당연히 고통을 느끼지.
헤헤. 난 건강에 자신 있으니까 이깟 술쯤이야~ 껌이라고!
벌컥벌컥
행여나~

위장에 구멍이 생겼는데 아픔을 느끼지 않는 사람이 있을까?
야.. 토하지 마!
윽!
헉

사람은 신체 기관에 대한 지식은 없다 할지라도 그 신체 기관에서 생기는 고통은 느낄 수 있거든.
으아아악 내 배~
허걱

우리 몸 안에 어떤 병이 생기면 고통이 생겨서 우리로 하여금 그 고통을 제거하도록 요구하는 거지.
조금만 참아!
삐뽀 삐뽀

고통이란 이와 같이 생명을 보존하기 위해서 우리에게 어떤 문제가 생긴 것을 알려 주는 경고야.
으이구~ 조금만 늦었어도 큰일났대. 술 좀 작작 마셔!
미안.

그래서 우리는 육체의 고통이 생기면 병원에 가서 의사와 상담해서 병의 원인을 알아 내 치료하고
퇴원하세요.
네. 감사합니다.
의사

그 고통을 제거하고 우리의 생명을 죽음으로부터 보호할 수 있는 거지.
와 !
이제 술 끊어야지. 내 몸은 소중하니까!
자식. 아프더니 철들었네.

법 감정도 이와 마찬가지야.

사람들은 고의적으로 일으키는 권리 침해에 대해서 법에 대한 전문가가 아니더라도 몸이 고통을 느끼듯이 마음에 고통을 느끼고 그 고통을 빨리 제거해 달라는 요구를 받아.
열도 나고
머리도 아프고….
병원에 가봐야겠다.
나도 아퍼~

폐에 염증이 생기면 고열과 기침으로 고통이 생겨 빨리 병원에 가서 치료하도록 요구하는 것처럼,
얘, 빨리 병원에
가자꾸나!
후다닥

권리가 침해되는 경우, 예를 들어 귀중한 소유를 부당하게 빼앗긴다면,
철거할 테니
집 비워요!
!

그 사람의 마음은 찢어지는 고통을 통해 빨리 그 고통을 제거하는 어떤 행동을 하도록 그에게 요구하는 것이지.
네가 힘들게
산 집이잖아!

예링은 자신의 권리를 포기하는 것은 정신적 자살이라고 말해.
난
죽는다.
안녕~
투쟁할 자신이 없어.
포기할까 봐.

설사 권리를 위해 싸우는 사람이 찾으려는 물건보다 더 비싼 대가를 치러야 한다 할지라도, 소송을 불사하고 자신의 권리를 정당하게 찾게 될 때 비로소 그 고통은 치료돼.
법
권리
투쟁
권리

정신적 고통은 제거하도록 요구를 받게 되죠.
!
안 돼!
이렇게 내 권리를
포기할 순 없어!
벌떡

이것은, 알기 때문에 하는 행동이 아니라 느끼기 때문에 하는 행동이기에 법 감정에 의해서 일어난 행동이라 할 수 있어.
뭔가 느낌이 오는데….
근데 왠지 더 있으면 안 될 것 같다.
불조심
법 감정

이제 법 감정이 무엇인지 알겠지?
법감정
법감정

우리가 보통 때는 사랑이 무엇인지 모르고 살지만
….

사랑이 무엇인가를 자각하는 데는 한순간으로도 충분한 것처럼
와우! 내 이상형!

법 감정도 마찬가지야.
법

평소에 나의 권리가 침해받는 일이 없는 경우에는 전혀 모르고 지내지만,
sweet home

일단 권리가 침해를 받는 순간, 법 감정이 발동해.
드드드…
흐흐흐…
법감정

권리는 인격의 조건이기 때문에 내가 소중하게 느끼는 것이
마이 프레셔스~

침해당할 때 내가 얼마나 강렬한 법 감정을 가지느냐에 따라 알 수 있지.
악
부우웅!
빵 빵

아마 더 소중한 것이 침해될수록 더 큰 법 감정을 갖게 될 거야.
화악!
부앙
꾸깃 꾸깃

법 감정의 본질은 행동이야.
행동
법 감정

자신의 권리가 침해당해도 행동할 생각을 하지 않는 사람은 법 감정에 그만큼 무디어진 사람이지.
흑-
내 지갑.
누워서 떡 먹기보다 쉽네.
킥킥

하지만 법 감정이 모든 권리 침해나 모든 사람에게서 다 똑같은 정도로 일어나는 것은 아니겠지.
권리
내 권리는 왜 작아!

법 감정은 무엇보다 행동하느냐 안 하느냐 하는 것이 중요해.
법감정
행동

법 감정에 따라 행동하는 데 있어서 기질과 성격이 큰 역할을 하지.

그래서 우리는 어떤 사람이나 단체, 민족의 성격을 알고 싶으면, 권리가 침해당했을 때, 어떠한 태도를 취하느냐를 보면 돼.
권리 침해
스윽
!
도전이냐
!...
권리 침해

자신의 권리나 인격 침해에 대해 순간적으로 주먹이나 폭력으로 맞서는 사람이 있는가 하면
퍽

침착하고 철저하게 지속적으로 대항하는 길을 찾는 사람이 있어.
권리 침해
잠시만 기다려 주세요!
스윽

이런 경우 예링은 야만적 폭력으로 맞서는 사람이 교양과 예의를 지키며 지속적으로 대항하는 사람보다 더 법 감정이 강하다고 말할 수 없다고 해.
어디서 들이대?
퍽퍽
……
이렇게 하면 되는군.

야만적인 폭력이나 주먹으로 싸우는 사람이 법 감정이 제일 강하다는 것은 말도 안 되는 소리지.
권리 침해
좋소.
여기 방법이 서로 좋을 거 같은데 어떻습니까?

오히려 그러한 법 감정의 표현 방식은 전혀 훈련되지 못한 야만에 속한다고 봐야겠지.
재가 때렸어요!!
당신 깡패야!!
아니 내 권리를 지키려고….

격렬하게 야만적으로 반응하는 것과 불굴의 정신을 가지고 지속적으로 저항하는 것 사이에서 법 감정의 예민함이나 강도의 차이를 찾으려는 생각은 잘못이지.
어디 있는지 못 찾겠다.

성급하고 야만적일수록 더 법 감정이 강하고

천천히 침착하게 예의를 지켜 행하면 법 감정이 약하다는 식으로 말하는 건 진짜 엉터리야.
내 이야기 인가?

예를 들면 간디나 마틴 루서 킹의 비폭력 저항 정신은 순간적이고 물리적인 폭력으로 대항하는 아파치 인디언보다 법 감정이 덜하다고 말할 수 있을까?
이러한 법 감정이 권리를 위한 투쟁을 실천하도록 하는 중요한 요소라는 것을 기억하렴.
권리

# 공리주의

▲ 제러미 벤담

공리주의는 영국의 제러미 벤담과 존 스튜어트 밀에게서 비롯되었습니다. 벤담이 말하는 '최대 다수의 최대 행복' 이 공리주의의 대표적인 주장입니다. 공리주의는 인간의 본성에는 쾌락과 고통이 있다고 봅니다. 공리주의가 말하는 쾌락은 행동하는 사람의 쾌락이 아니고 그 행동의 결과가 미치는 사람들의 쾌락입니다. 그래서 공리주의에서 가장 옳은 행위는 가장 많은 사람이 가장 행복하게 되는 행위입니다.

벤담은 인간의 본성에는 두 개의 중요한 심리학적인 요인, 즉 쾌락과 고통이 있다고 생각했고, 모든 인간의 행동은 이 두 요소와 관계를 가진다고 믿었습니다. 그는 인간은 행동할 때 쾌락은 최대화하고 고통을 최소화하고자 하는 경향을 가지고, 그래서 쾌락과 고통을 인간 행위의 중요한 결정 요인이라고 확신했습니다. 그는 최대 다수의 최대의 행복이 입법의 원리가 되어야 한다고 생각했습니다. 즉 법을 제정할 때는 최대 다수가 최대의 행복을 누리도록 법을 제정해야 한다는 말입니다.

행위가 다른 사람에게 주는 쾌락이나 고통에 따라서 그 행위의 옳고 그름을 판단하려고 하기 때문에 공리주의는 인간 본성에 내재하는 보편적인 도덕성을 추구하는 자연법과 정면으로 대립합니다. 그래서 공리주의가 말하는 법과 자연법이 말하는 법 사이에도 많은 차이와 불일치가 존재합니다. 공리주의는 무엇이 옳고 그른가에 대한 도덕적이고 윤리적인 답을 찾으려고 하지 않기 때문입니다. 만약에 그 사회의 최대 다수가 행복하게 생각한다면 자연법에서는 불법이지만 공리주의에서는 법으로 인정될 수도 있습니다. 공리주의에서는 행위의 옳음이 최대 다수의 행복을 가져오느냐에 달려 있으므로, 결과주의에 속한다고 말할 수 있습니다.

실제로 공리주의자들은 어떤 행위가 결과적으로 어느 정도의 행복을 가져왔는가를 양적으로 측정할 수 있다고 믿었습니다. 또 벤담 같은 경우는 쾌락과 고통의 양적인 면에만 관심을 가졌고 질적인 구분은 하지 않았습니다.

법철학적 관점에서 공리주의자들은 '법은 사회적으로 가장 행복한 목적을 위해서 만들어져야 한다.' 고 주장합니다. 그러나 이러한 원칙은 어떤 경우에는 다수의 독재나 폭력으로 변할 수도 있습니다. 예를 들면 사회의 절대 다수가 소수를 억압하는 데 행복은 느끼면, 다수의 행복을 위해서 소수는 부당하게 억압될 수 있기 때문입니다. 그래서 이를 극복하기 위해서 경제적인 법 분석이라는 새로운 공리주의가 적용되기도 합니다. 즉 입법이나 판결에 있어서 사회 전체의 부가 최대화되는 방향으로 이루어져야 한다는 것입니다. 여기서 사회적 부에는 원래 공리주의에서는 주장되지 않은 인권이나 언론이나 종교의 자유 등이 포함됩니다. 그것을 인정하는 것이 그렇지 않은 것보다 사회 전체의 부를 더 극대화할 수 있기 때문입니다.

권리
법

# 제8장 권리자의 권리 주장은 자신의 인격 주장이다

법
인격
자존감
감정

《권리를 위한 투쟁》에서 기억해야 할 중요한 것은 권리란 인격에 해당한다는 사실이야.
권리

그래서 권리를 위한 투쟁은 바로 인격을 위한 투쟁이 되지.
권리=인격
알겠지?
오~ 그렇구나.

자신의 권리를 지키지 못하는 것은 자신의 인격을 지키지 못하는 것과 같아.
권리
인격

예링은 "권리는 인격의 조건이고 권리를 주장하는 것은 인격을 보존하는 일"이라고 말했어.
권리
인격

권리를 침해당하고도 저항하지 않는다면 자신의 인격을 포기한 것과 같다는 말이지.
왜? 꼽냐?
큭큭…
아뇨.
흑흑, 내 권리.

권리를 위한 투쟁은 다른 말로 하면 인격을 위한 투쟁이고,
권리

권리를 위해 투쟁하는 자의 주장은 인격 주장이라는 거야.
얍
인격
펑-

이제 예링이 말하는 권리의 투쟁이 무조건 싸우라는 말이 아님을 알겠지?
투쟁이라고 다 싸우는 것은 아니죠!

권리는 인격의 상징이기 때문에 권리가 침해된다는 것은 인격이 침해되는 것이고,
툭
권리
인격

인격이 침해를 받는 것은 큰 정신적 고통이기 때문에 자신의 권리를 위해 투쟁할 용기와 결단을 가지라는 의미지.
용기
흠-
스윽
결단

개인이든 국가든 그 권리는 언제든지 침해받을 수 있어.
철컹

왜냐하면 자신의 권리를 소중하게 지키려는 사람이 있지만
용기
덤벼

반면에 어떤 방식으로든지 이 권리를 우습게 여기고 침해하려는 사람들이 있기 때문이지.
크흐흐흐…
팅

이들의 대립은 불가피한 것처럼 보여.
급정거하면 어떡해요!
이 사람아 당신이 안전 거리 유지를 안 했잖아.
푸쉬쉬

그래서 개인적인 사법에서부터 국가법이나 국제법에 이르기까지 이러한 권리 분쟁은 끊이지 않아.
독도는 우리 땅이거든.
못 먹는 감 찔러나 보는 거므니다.
헤헤
독도

권리 침해는 국가 간에는 전쟁으로,

퍽
콰
펑
쾅
펑

국가와 국민 사이에서는 폭동이나 혁명과 같은 저항으로,

와!
와
와아

개인 사이에서는 중세에서 발견되는 결투라는 권리 형태로 나타나.

까깡!

결투와 같은 권리 주장 형태는 오늘날에 자기를 지키는 정당방위 형태와 민사 소송으로 자신의 권리를 주장하는 형태로 정착하게 돼.

투쟁 형태는 변화하고, 그 모습이나 방식은 달라도

법

한 가지 공통점은 권리를 위한 투쟁 자체는 계속된다는 거야.

달려라~.
부웅
권리

개인이든 국가 간이든, 이전이나 지금이나 권리 투쟁은 어떤 방식으로든지 존재하고 존재할 수밖에 없어.

권
리
투
쟁

물론 개인의 경우, 합법적인 소송을 통해 투쟁하는 것이 가장 이성적인 방법이겠지만.

법원

불법과 투쟁하기 위해 불법을 저지르기도 해.

내 물건을 도둑맞았으니 나도 훔쳐야지.

누군가 자신의 권리가 침해를 당하게 되면 법 감정이 손상을 받고,
내 발에 잘 맞겠어. 이제부터 이거 내 거야! 알겠지?
내 운동화 돌려줘!
법 감정이 손상되면 무엇인가 행동하도록 요구한다고 배운 거 기억나지?

권리자는 자신의 권리를 주장해야 한다는 요구를 받게 되면 먼저 적대자에게 저항하고 투쟁할 것인가, 어떻게 투쟁할 것인가, 아니면 싸움을 피하기 위해 권리를 포기할 것인가 하는 선택을 해야 해.
포기한다
싸운다
권리

여러분은 어떤 선택을 할까?
싸운다.
포기한다.

먼저 싸울 것인가, 포기할 것인가 하는 결정을 하고
싸운다!

그 다음은 어떻게 싸울 것인가를 결정해야지.
권리

권리
권리를 위해 싸우면 그에 따른 희생이 따르고

싸움을 포기하면 나의 권리를 포기해야 하는 희생이 따르지.
권리

어떤 희생을 선택할 것인가가 문제야.
어쩌지….

일단 소송을 하려고 결심하면
많은 절차가 필요해.
절차

법원에 가야 하고, 복잡한 법에 대해서 알아봐야 하고, 변호사를 선임
해야 한다면 돈도 많이 들고, 또 결정까지 시간도 많이 걸려.
법원
법
법
바쁘다
바빠!
변호사

게다가 아주 번거롭고 귀찮아서 차라리 소송을
하고 싶지 않은 사람도 많을 거야.
이쪽으로 가면
된다는데.

법에 대해 잘 모르고 경험이 없는 사람이 소송을 한다는 것은
무척 피곤한 일이야.
!
스스슥

법원 앞에 가는 것조차
마음에 큰 부담이
될 정도니
허걱
앙
법원

이러다 내가 죽겠네.

그래서 귀찮아서라도 차라리 소송을 포기하고
마는 사람도 많아.
조금 손해
보지 뭐.
소송

반면에 어떤 사람은 돈이 얼마가 들든, 아무리 귀찮아도 반드시 침해된 권리를 찾아야겠다고 생각하는 사람도 있어.

권리
권리는 소중하니까.

평화로운 삶을 위해 권리를 포기할 수도 있고,

쿨쿨…

권리를 찾기 위해서 평화로운 삶을 포기할 수도 있는 거지.

철수야 목욕 가자!
으잉?!

어느 것을 선택하든지 하나의 희생은 불가피해.

남탕
여탕

평화는 권리를 희생하고 권리는 평화를 희생하고,

으잉?
평화
권리
권리
평화

햄릿은 "사느냐 죽느냐 그것이 문제로다."라고 말했지만 권리자는 "평화냐 권리냐 그것이 문제로다." 하겠지.

그것이 문제로다.
권리
평화

소송에 많은 돈이 들어간다면 부자는 돈이 많으니까 소송을 선택할 수도 있고

쉽네
소송
법원

가난한 사람은 일단 돈이 많이 들어가니까 소송을 포기할 수도 있겠지만,

너무 높구나.
소송
법원

많은 경우, 사람들은 소송의 액수에 관계없이 권리를 위한 투쟁에 최선을 다하는 경우를 볼 수 있어.

명예를 위해 보상금 10원을 청구한다!
뭐하러

극단적인 예가 되겠지만 조선 말기에 최익현이란 선비는 단발령에 불복종했어.

내 머리는 잘라도 내 머리카락은 자르지 못한다.
윽!

조선 시대 선비들은 유교에서 가르치는 효의 윤리를 따라서 신체와 모든 털까지도 부모님에게서 받은 것이니 소중하게 생각했어.

신체발부수지부모*
(身體髮膚受之父母)
이니라.

네-

그러니 머리카락을 자르라는 단발령이 내려졌을 때 최익현은 내 머리카락을 자르느니 차라리 머리를 자르라고 저항했어.
고얀 놈
단발령


***신체발부수지부모** – "신체와 터럭과 살갗은 부모에게서 받은 것이다."라는 뜻.

지금 우리가 생각하면 어리석어 보이지만 그는 단발령을 따르는 것은 결국 우리의 주권을 빼앗기는 것과 다르지 않다고 생각한 거야.
내놔!
주권

그래서 절대로 수용할 수 없었지.
절대로
안 된다!
끙
주권

그는 목숨을 걸고 싸워서라도 머리카락을 자르지 못하겠다는 법 감정을 느낀 것이라고 생각할 수 있어.
차라리
목을 잘라라!
허걱

단발령을 따르는 것은 일본의 요구를 그대로 받아들이는 것과 같은 것이고,
....
덥석

이것을 양보하면 앞으로 그들이 요구하는 다른 요구도 받아 주게 되고
쑤욱

결국은 조상에게서 이어받은 우리 고유의 삶의 방식과 나라를 빼앗길 것이라고 생각했어.

하나의 권리를 양보하면 더 많은 권리까지 빼앗기게 되는 일이 종종 있으니까.
♪
권리
권리
권리

그래서 그는 목숨을 걸고라도
권리를 위해 투쟁할
결심을 하지 않았을까?
차라리
죽여!
내놔!

왜냐하면 권리를 주장하는 것은 바로 권리자의 인격을 주장하는 것이기 때문이지.

권리 주장
=
인격

물론 최익현의 행동에 동의하지 않을 사람도 있겠지만,

생명이 제일 소중해요.

지금은 우리가 그의 입장에 동의하느냐 하지 않느냐가 중요한 게 아니라, 권리 주장의 성격을 이해하는 것이 중요해.
권리 주장

권리를 위해 투쟁하라고 하면 쓸데없이 권리니 뭐니 하면서 싸움이나 일삼고, 분쟁이나 즐기며, 소송을 일으켜서 상대방을 괴롭히려는 몹쓸 짓을 하는 것이라고 비난하는 사람도 있을 거야.

좀, 조용히 삽시다.
권리 투쟁
여기 전세 냈어!

물론 예링도 그 점을 알고 있었어.

예링
권리를 위한 투쟁

왜냐하면 사람이 권리가 침해될 때마다 일일이 다 싸우려 한다든지,

!
권리를 위한

실제로 권리나 인격 문제가 아닌 것까지도 싸우려고 달라붙는 사람이 종종 있으니까 이런 비난도 완전히 틀린 거라고는 할 수 없어.

음.
내 거야
아냐 내 거야~
법대로 해!

그러나 이익을 따져서 행동하는 이해타산의 관점에서는 이해하기 힘든 결정,

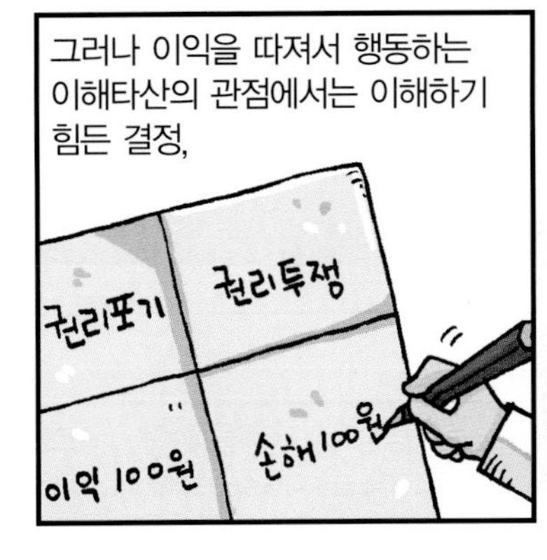
권리포기
권리투쟁
이익 100원
손해 100원

즉 비용이 얼마나 들어도 좋으니 반드시 소송을 해서 권리를 찾으려는 사례도 결코 무시할 수 없어.

좋아!
권리 투쟁이다!
손해가 더 큰데….

그래서 예링은 사람이 개인적으로 벌이는 소송에서 민족 간의 문제로 눈을 돌렸어.

오~
민족간 권리투쟁

그러면 문제의 핵심이 좀 더
분명하게 보이니까.
핵심

사실 최익현의 주장도 개인 간의 소송이나
권리 분쟁이 아니라 민족 간의 분쟁이라고
봐야지.

그래서 최익현의 주장에
공감하는 사람도 분명
있을 거라고 믿어.

예링이 예를 든
민족 간의 분쟁을 보면,

어떤 민족이 다른 민족에게 보잘것없고
쓸모없어 보이는 땅을 조금 강탈당했다고
가정해 봐.
어차피 필요 없는
땅이잖아.
찌익

이런 경우에 땅을 강탈당한
민족은 어떻게 해야 할까?
음….

개인 간이라면 '내가 참고 말지.' 하고
양보하고 권리를 포기할 수도 있겠지.
저 정도쯤이야.
야호

민족의 경우에도
그렇게 간단할까?
….
킥킥

그런 쓸데없는 조금의 땅을 위해 많은
사람이 희생될지도 모를 전쟁이라도
해야 할까?
와, 와아
그래. 어차피
필요 없는
땅이잖아.

그럼 그 민족은 언제까지 참기만 하고,
얼마나 빼앗겨야 비로소 저항할까?
조금만 더 줘.
스윽
와

어때? 선택하기가
쉽진 않겠지?
국민이냐? 땅이냐?

전쟁에 반대하는 사람이라면,

PEACE
NO WAR

그 얼마 안 되는 황무지를 위해서 수많은 사람이 죽을 수도 있고, 국가의 존립까지도 위태롭게 할 수 있는 전쟁을 한다는 것은 말도 안 되는 소리겠지.

물론 전쟁은 안 좋은 일이지. 그러나 과연 그럴까?

만약에 일본이 우리 땅 독도를 강제로 점령한다면,

휙
헤헤
독도

사람도 살 수 없는 바윗덩어리가 뭐라고 수많은 사람이 죽을지도 모르고, 전쟁으로 나라가 망할지도 모르는데 바보같이 일본과 전쟁을 해.

필요없는 땅인데, 뭘.
잘된 거야! 킥킥
웅성
웅성 웅성

이렇게 말하는 대한민국 사람이 있을까?

쓱-
킥킥

그래서 예링은 아무리 작고 쓸모없는 땅이라도 자신의 땅을 다른 민족에게 아무 저항도 하지 못하고 빼앗기는 나라는 이미 자신에게 사형선고를 내린 것이라고 말해.

와아
와
와아

그 나라는 언젠가는 결국 나머지 땅도 다 빼앗기게 될 테니까.

으악
뻥
B

앞에서 말한 호랑이와 떡장수 할머니를 생각해 봐.

으악!

독도를 빼앗기면 언젠가 우리나라 전체를 빼앗기게 되지 않을까?

이거 먹고 다음은 밥상을~
독도

이렇게 민족 간의 문제로 보면 권리 주장이 얼마나 중요한 것인가가 분명해져.

이 자식 어딜 넘봐!
깨갱

약간의 영토를 잃어버리지 않기 위해서 투쟁하는 것은 민족 자체를 위해서 투쟁하는 것이며,
더는 못 참아.
퍽
악
A
B

이렇게 민족을 위해서 싸우는 것처럼,
또 넘어오면 죽는다.
넹
A
B

개인도 하찮은 논쟁 때문이 아니라 자신의 인격 그 자체를 지키고 자신의 법 감정을 주장하기 위해서 싸울 수 있겠지?
저길 봐.
옥신각신

법의 위대한 이상을 위해서 싸우는 권리자의 권리 주장은 마치 민족의 명예와 독립을 위해 싸우는 애국투사에 비유될 수 있어야 한다는 거지.

권리자가 자신의 권리를 지키고 자신의 법 감정을 주장하는 것은 하찮은 논쟁이나 소송이 아니라, 엄숙하고 진실한 인격의 주장이니까.
난 싸우자는 게 아니라 내 법 감정을 주장하는 거야.
나도 진실한 인격의 주장이야!

그래서 권리자에게 싸움에서 생기는 희생이나 귀찮음 따위는 문제가 되지 않아.
에잇! 끊어버려야지.
희생
귀찮음

그를 싸우도록 만드는 것은, 돈이 아니라 권리 침해로부터 발생하는 불법에 대한 정신적 고통이니까.
날 가져.
돈

돈은 중요하지 않아.
필요 없어!
돈

이런 경우에 권리 투쟁자가 투쟁을 통해서 다시 찾을 금전을 모두 기부하겠다고 마음먹었더라도,
여기…
인격
보상금

이 소송을 관철하는 것은 상처받은 자신의 인격을 회복하려는 목적이 중요하기 때문이지.
내 인격을 찾았으면 됐어.
보상금은 다 기부해요.
와우! 통 크시다.
인격
보상금

예링은 그의 글에서, "그의 내면의 소리가 그에게 '너는 절대로 뒤로 물러서서는 안 된다. 지금 중요한 것은 무가치한 대상이 아니라 바로 너의 인격이며 너의 법 감정이며 너의 자존감이다.'"라고 말했어. 간단히 말해서 이제 소송은 이해타산의 문제가 아닌 오직 인격의 문제인 거지.
자존감
인격
법감정
권리침해

하지만 실제로 많은 사람들은 이렇게 행동하기보다는 평화를 선택하고 자신의 권리 주장을 포기하지.
권리보단 평화가 최고지.
휙-
권리
와!
와아
평화
개인의 권리가 뭐가 중요해.
톡

어쩌면 한편으로는 귀찮아서 그럴 수도 있고 다른 한편에서는 용기가 없어서 그럴 수도 있어.
평화
...
....
찌익
찌이익
찌익

그러나 자신의 권리를 포기하는 것은 자신의 인격을 포기하는 것과 같다는 것을 기억해야겠지.
안녕~
날 꼭 기억해 줘!
인격
권리
흑흑

예링은 이렇게 물어.

우리는 이러한 문제를 어떻게 판단해야 할 것인가? 이것은 개인적인 취미나 기질의 문제야.

어떤 걸로 할까?
평화
분쟁
음.


한 사람은 분쟁을 좋아하고, 다른 사람은 평화를 좋아해.

!
!
평화
분쟁


그래서 법의 입장에서 보면 양편이 다 존중되어야 해.

둘 다 존중되어야 해.
분쟁
법
평화


왜냐하면 법은 권리자에게 자신의 권리를 다시 찾을 것인가 아니면 그냥 방치해 둘 것인가를 선택하도록 맡겨 두기 때문이야.

당신의 선택에 달렸습니다.
어렵다.
법
분쟁
평화


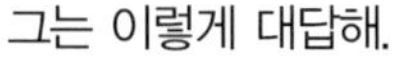

그는 이렇게 대답해.

"주지하는 바와 같이 살면서 드물지 않게 만나게 되는 이 견해를 나는 물리쳐야 할, 사악하고

이쪽이 더 편해.
법
분쟁
평화


법의 내적 본질에 모순되는 견해라고 생각한다.

권리가 중요해.
귀찮아.
법


이 견해가 만약 어디에선가 일반적인 견해가 된다고 하면, 법은 이제 아무런 가망이 없게 될 것이다.

이러면….

법

평화

내가 필요 없네.

왜냐하면 법은 스스로의 존속을 위해서 불법에 맞서 항거할 필요가 있는데 불법 앞에서 비겁하게 도망하라고 설교하고 있기 때문이다."

인격이 침해되는 경우에 그것에 저항하는 것은 결코 선택 사항이 아니겠지.
휙

권리자의 권리 주장은 그의 인격 주장이고,
엥?!
팽

불법적인 침해에 맞서 자신의 인격을 주장하는 것은 그의 의무니까.
뭐야, 이건?
콰악

누구든지 자신의 권리를 주장하는 것은 자신의 인격을 주장하는 것이고,
과자에 벌레가!
과자

권리를 위한 투쟁은 인격을 위한 투쟁이야.
여보세요? ××제과죠! 과자에 벌레가…

권리를 포기하는 것은 바로 자신의 인격을 포기하는 것이 돼.
대충 먹어! 안 죽어!

이런 의미에서 권리를 포기하는 것은 정신적인 자살과 같다는 거야.
귀찮은데, 그냥 넘어갈까?

스스로 자신의 존재를 포기하는 것과 같지.
먹을 만하군.
너도 벌레냐?

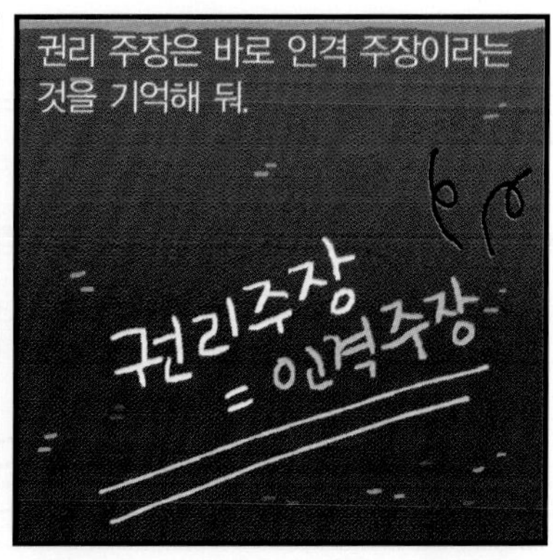
권리 주장은 바로 인격 주장이라는 것을 기억해 둬.
권리주장 = 인격주장

이렇게 권리 주장을 하려면 용기와 결단이 필요하고 또 부지런해야 돼.
정상에 서겠어!
권리

불굴의 정신과 지구력도 필요하지.
낑낑!

여러분도 권리 주장이 얼마나 중요하고 힘든지 알겠지?
야호
권리

앞에서 말했지만 순간적인 분노를 참지 못하고 폭력을 휘두르거나 주먹다짐을 일삼는 것은 야만적인 행동이야.

그것보다는 불법에 굴하지 않고 지속적이고 분명하게 자신의 권리를 주장함으로 불법에 의해 침해된 자신의 인격을 다시 회복하는 것이야말로 참다운 권리 투쟁의 모습이 아닌가 싶어.
내 권리를 찾아서….
소비자 보호 센타
과자

'법의 목표는 평화지만 그 수단은 투쟁이다.' 는 말을 꼭 기억해.
팡
팡
와!
와
와
평화

우리의 권리 주장은 법이 불법에 맞서 항쟁하는 당당한 모습이니까.
얼마든지 덤벼!
불법

잠시 정리해 볼까?

법의 목표는 평화이며,

그 수단은 투쟁이고,
퍽
불법
투쟁

법에 대해서 비록 알지 못한다 할지라도 사랑의 감정과 같은 법 감정이 있어서 부당하게 받게 되는 불법의 침해에 대해 고통을 느끼게 하며,
길 내야 되니 비켜요!
안 돼. 어떻게 산 집인데.

그러한 고통에서 벗어날 것을 요구하지.
내 집은 절대 못 건들어.
화르르…

그래서 법 감정을 주장하며,
내 집 좀 찾아 주시오.
법원
소송

권리자는 용기와 결단을 가지고 당당하게 불법에서부터 자신의 권리를 지키기 위해서 권리를 주장하게 되고,
O×건설
물러가라

권리자의 이러한 권리 주장은 바로 권리자 자신을 보존하는 인격 주장이 되지.
죄송해요.
O×건설

권리자가 불법에 맞서서 투쟁하는 것은 자신을 보존하는 자신의 의무가 되고
덜덜덜…

나아가서 개인의 권리 주장은 자신뿐만 아니라 사회와 인류 전체에 대한 의무도 돼.
의무

권리의 투쟁에서 법은 비로소 자신의 역사를 갖게 되는 것이지.

법은 민족정신으로부터 무의식중에 생성되는 것이 아니라 개인이 자신의 권리를 지키려는 지치지 않는 열정에서 탄생해.

# 역사학파

▲ 게오르크 빌헬름 프리드리히 헤겔

역사주의는 19세기 독일을 중심으로 일어난 지식 운동입니다. 하지만 이 용어는 아주 광범위하게 사용되기 때문에 이해하기가 쉽지는 않습니다. 간단히 말하면 역사주의란 역사적 사건들은 역사의 과정과 조건에 의해서 결정된다는 이론이며, 가치의 기준에 있어서 역사의 중요한 영향을 강조하는 이론입니다.

인간이란 역사적인 존재이기 때문에 역사를 떠나서는 살 수 없으며, 인간의 모든 정신적 활동의 결과가 역사이기 때문에 역사를 알아야 사건이나 사고를 이해할 수 있다는 것이 역사주의의 핵심적인 생각입니다. 그래서 역사주의자들은 하나의 민족이나 시대를 이해하려면 그 민족이나 시대의 역사를 연구해야 하고, 그 민족과 역사에 특정한 조건을 이해해야 한다고 주장합니다. 헤겔이 말하는 시대정신이 바로 그러한 예입니다. 시대정신이란 한 시대의 특징을 구체적으로 반영하는 정신이기 때문입니다. 인간의 사회나 삶을 이해하려면 역사적 배경이나 역사적 조건을 이해해야 한다는 말입니다.

또한 역사학파는 일반적인 경제이론을 거부하고, 한 나라의 경제 상황은 역사적인 경험이 모여서 이루어지는 것이기 때문에 경제란 그 나라의 문화에 고유한 조건을 가지게 된다고 주장합니다. 한 민족의 역사는 그 민족의 고유한 시대, 장소, 민족성 등이 모여서 이루어지는 것이기 때문에 인간 활동으로서 경제를 이해하는 데에는 그 민족의 문화와 역사를 아는 것이 매우 중요하다는 것입니다. 예를 들면 영국의 경제와 독일의 경제는 서로 다른 역사적 조건을 가지므로 영국의 경제와 독일 경제는 동일한 법칙으로 이해할 수 없다는 말입니다.

역사학파의 생각은 독일의 법학에도 큰 영향을 주었습니다. 독일에서 일어난 법학에서의 역사학파를 보통 독일 법학의 역사학파라고 부르는데, 우리가 공부하는 예링도 이 역사학파에 속하는 법학자입니다. 역사학파는 한 나라의 역사적인 시대나 조건을 강조하기 때문에 역사 속의 조건에서 생겨난 법을 강조합니다. 따라서 모든 시대나 장소 및 나라에 넘어서 보편적인 법을 주장하는 자연법사상과 여러 면에서 대립합니다.

독일 역사학파의 주장에 따르면, 법이란 국가 기관에 의해서 제정된 규정을 임의로 모아 놓은 것이며 민족정신에서 발전된 민족적 신념의 표현입니다. 여러 관습도 마찬가지입니다. 그래서 법이란 민족정신이라고 부르는 일반 의식의 한 형태일 뿐입니다. 예를 들면 한국의 법은 한국 민족정신에서 출현한 한국 민족의식의 일반적 표현입니다. 한국 민족정신은 한국 국민의 역사 가운데서 형성된 것이며, 그래서 한국법은 한국민족의 정신의 표현이고, 한국법을 이해하려면 한국의 역사를 이해해야 한다는 주장이 역사학파의 주장입니다.

예링은 기본적으로는 역사학파에 속하는 법학자였지만 법이란 개인의 욕구와 권리에 위한 투쟁에 의해서 발생한다고 주장한 점에서 많은 차이를 보였습니다.

제9장
권리 주장은 권리자 자신에 대한 의무다
권리 주장
마이

"불법에 대한 저항은, 의무이며,

도덕적 자기 보존의 명령이기 때문에 권리자의 자기 자신에 대한 의무이며,
퍽
퍽
퍽

또 법이 자신을 주장하기 위해서는 일반적인 저항이어야 하기 때문에 공동체에 대한 의무이다."
한 명이 무너지면
모두가 죽는다!

예링은 이렇게 권리를 주장하는 것이 자신에 대한 의무라고 말해.
어때? 좀 자세히 알아볼까?
권리주장 = 의무

이번 장에서는 권리자의 의무에 대해 알아보자.
권리자의 의무

권리자가 자기의 권리를 주장하는 것은 권리자가 자기 자신을 도덕적으로 보존하기 위해서 반드시 해야 하는 일이고,

치워 주세요.

동시에 법이 법으로 주장되기 위해서 사회나 공동체에서 일반적으로 인정되는 불법에 대한 저항이나 대항이 있어야 해.

말을 못 알아 들어?
앙
나도 자존심이 있거든!

권리 주장은 사회를 위해서도 반드시 해야 되는 것이라는 말이지.

살려 주세요.
권리 주장

권리자들이 자신의 권리를 당당하게 주장할 때에 법도 적극적으로 자신의 주장을 하게 되지.

조금만 기다려욧!
촤악
법

법과 개인의 권리는 마치 엄마와 아기처럼 서로 떼려야 뗄 수 없는 관계야.

법

생각해 봐. 법은 로봇처럼 움직이는 것도 아니고 자동화 기계도 아니잖아.

법은 우리가 보고 만질 수 있는 구체적인 물건이 아니지만

법

오늘날 우리가 사는 시대에 우리나라의 법은 이 시대를 사는 우리들의 의지를 반영해서 생겨난 우리 삶과 활동의 산물이야.

올해도 풍년이네.
법

물론 우리가 직접 법을 만들지도 않았고, 법을 만드는 데 참여하지도 않았지만,

탕탕
지이잉

우리가 선거로 선출한 사람들이 우리를 대신해서 법을 제정했으니까 간접적으로 그 과정에 참여한 것이지.

기표소

이러한 민주주의를
간접민주주의라고 말해.
간접
민주주의

다른 말로는 대의정치 혹은
대의민주주의라고도 해.
간접
민주주의
대의
민주주의
대의정치

그렇다면 대의민주주의란 뭘까?
?
?
대의
민주주의

우리가 정치 과정에 직접 참여하지 않고 국회의원과 같은 대표자를 선출해서 그들이 우리의 생각과 의지를
대신하도록 위임하는 정치를 말해.

그러므로 그들 중 다수의 동의를 얻어서
제정된 법은 우리가 개인적으로
그 법에 찬성하지 않는다 할지라도
쓰레기
종량제
쓰레기
봉투
쓰레기
봉투

여전히 사회 전체 구성원에게
동일한 효력을 갖는 것이지.
쓰레기
불법 투기!
삑
허걱

민주주의는 좋은 점도 많지만
때때로 여러 가지 불만도 생기지.
난 쓰레기 종량제
찬성 안 했는데….
벌금
₩50.000

다수의 뜻이면 소수의 인권이 무시될 수 있기 때문에
법은 역사에서 보듯이 폭군처럼 인권의 적이 될 수도
있어.
모두 다
쓸어버려랏!
아돌프
히틀러
1889~1945

그러나 민주사회에서는 그런 일이 많지 않아.
에궁
와
와아
독재 타도
인종 차별 반대
와

우리가 만든 법이 법으로서 불법에 맞서 대항하기 위해서는 우리가 적극적으로 법에 따라 행동을 해야 해.

둑이 새네.
에이~
내가 알 바 아니지.
쫄르르


법이 아무리 잘 만들어져 있어도 아무도 법을 지키지 않는다면 법은 자신을 주장하지 못하고 죽은 법이 되어 버리니까.

으악
촤악


예를 들어 금연법이 있다고 생각해 봐.

금
연


오늘부터 대한민국 어디에서도 담배를 피우지 말라는 법이 제정되고 반포되어 효력이 발생했다고 가정해 보자고.

국가 전체
금연 선포!
금 연


이 법의 존재에 관심이 없고 여전히 모든 사람이 원하는 곳에서 마음대로 담배를 피운다면 어떻게 될까?

금연은
무슨!
이 좋은 걸
왜 끊어!


이 법은 죽은 법이 되는 거지.

금 연
정 책


하지만 이제 대한민국에서 담배를 피우는 것은 불법이므로,

더는
못 참아!


누군가가 우리 앞에서 우리 의지를 무시하고 우리의 건강을 침해하면서 담배를 피울 때 우리가 그러한 행동에 맞서서 항의하고,

대한
민국은…
금연
국가다!


이러한 불법에 대해 당국에 호소하는 등 지속적인 저항을 하면

대한 민국은
금 연
국가다!!
권리


이 법은 살아 있는 법으로서 금연을 주장하고,

널 도와
주마!
법


실제 이 법을 비웃거나 혹은 숨어서 불법으로 담배를 피우는 사람을 지배할 수 있는 효력을 가진 법이 되는 것이지.

금연 구역이야!
툭

법은 법에 따라 권리를 주장하는 사람이 있어야 살아 있는 법이지.
법

그냥 법전에 기록된 규정으로 존재한다면 진열장에 진열된 마네킹과 같은 신세겠지.
SeoJeans
....
법

보여 주는 것 외에 아무것도 할 수 없으니까.
....
?
?
법

사회의 구성원들이 법에 대해 아는 것도 없고, 관심도 없다면 법이 존재하는지 알 수 없어.
법? 먹는 거야?
....
법

사람이 어떤 행동을 할 때마다 항상 그 행동에 관한 법규를 기억하면서 행동하는 것도 아니고 그렇게 할 수도 없지.
중얼중얼
중얼 중얼
중얼~
법규
법규

권리를 침해받는 일이 없으면 대부분은 법이 없는 것처럼 살아.
법규
휙!
휙!
휙!

그러다가 일단 권리가 부당하게 공격을 받으면,
부웅

법 감정이 발동하고 법을 실현하는 권리 주장이 생기지.

콜록콜록

콜록콜록

우리가 지지하는 법이 살아남으려면 우리의 권리 주장이 반드시 필요해.
음....

법은 개인의 권리 주장이 합법적으로 가능하도록 지원해 주고,
자동차 배기가스에 대한 법률을…

개인의 권리 주장은 그 법에게 생명을 보답으로 돌려줘.
법
권리주장

법의 일반적인 주체는 주로 국가인 경우가 많고,

국가의 권리 행사가 개인의 권리와 충돌하여 국가와 개인 간에는 불가피한 대립들이 종종 발생하기도 해.
음주 단속입니다.

이런 이유로 법이 정서적으로 불쾌하게 생각되고,
귀찮게 뭐요. 길 막히잖아요.
부세요!

또 국가가 그 법으로 국민을 강제하는 것으로 여겨지는 것도 사실이야.
난 술 못 마셔요! 불기도 싫고!
일단 차에서 내리세요!

그러나 권리 주장은 국가를 위해서도, 개인을 위해서도, 궁극적으로는 서로를 위해서도 도움이 돼.
권리 주장

반면에 국가가 개인의 권리 행사를 지속적으로 억압한다면, 마침내 그 국가는 심각한 위기를 맞게 될 것이 분명해.
치이익
권리

모든 살아 있는 생물체는 자기 자신이 살아남기 위해서라도 자신을 주장해야 해.

이러한 자기 주장은 생존 본능에 속하는 거야.

인간에게는 육체적인 생존뿐만 아니라 정신적인 생존도 중요해.

육체적인 자기 보존을 위해서 육체적인 주장을 하듯이 정신적인 자기 보존을 위해서 정신적 자기 주장도 해야 해.
헛둘 헛둘

이러한 정신적인 자기 주장 가운데 대표적인 것이 권리 주장이야.
자기 주장
와아
와아
1

인간이 동물과 같이 대우받지 않고 인간의 존엄성을 인정받는 것도 이러한 권리 때문이라고 말해도 되겠지.
권리
존엄성

인간은 태어나면서부터 생명과 자유와 행복을 추구할 권리가 있다는 것은 미국 헌법의 기본 정신이지만,
생명
인간
자유
행복

우리나라 헌법 정신도 이와 크게 차이가 없어.
생명
인간
자유
행복

이러한 권리를 보통 자연권이라고 해.
생명
인간
자유
행복
자연권

이러한 자연권을 근거로 해서 법의 본질에 대해서 자연법을 주장하는 견해도 있어.
자연법
짜
잔
자 연 권

자연법과 실정법은 법을 이해하는 견해에서 서로 달라.
닭이 먼저야!
아니야! 계란이 먼저야!
자연법
실정법

하지만 자연법에서든 실정법에서든 인간의 존엄성은 자명한 것이며, 그것은 권리에 근거하고 있어.
와
와-
권리
삐약
자연법
실정법

인간의 권리는 인권이라고 부르고, 모든 이념 가운데 가장 중요한 근본이 돼.
인권

인간 생존의 정신적 조건은 인권과 인격에 기초하지.
인간 생존
인권
인격

만약에 인권이 없다면 인간은 짐승이나
다름없을 거야.
앙-

그래서 고대의 노예들은 인권이 없었기 때문에 소나 양처럼
소유물로 취급됐지.
으악

천부인권설이라고 들어봤지?
천부
인권설

모든 인간은 평등하게 창조되었고
평등한 권리를 가지고 태어난다는
학설이야.
천부
인권설

바로 이 천부인권설이야말로 근대사회를
만드는 가장 기본적인 이념이었다고 할
수 있지.
철컥
천부
인권설

권리 주장은 인간의 정신적
자기 보존을 위한 의무요,
권리주장

권리를 포기하는 것은
정신적 자살이지.
안돼

앞에서도 말했지만 권리의 주장은
인격의 주장이라고 했잖아.
권리주장
인격 주장
아항

권리 주장을 포기하는 것은
인격 주장을 포기하는 거야.
인간이기를
포기한 거야?

권리를 포기하는 것은 인격적
존재로서의 생존을 포기하는 것이니
정신적으로 자살하는 것과
무엇이 다르겠어.
멍?

인격을 보존하려면, 인격 주장으로
서 권리 주장이 필수적인 의무가
되는 것은 당연하겠지?
인격
인격

우리는 아무리 한순간이라도, 아무리 하찮아 보이는 일에서도 권리가 유린* 되도록 방치하거나 용납해서는 안 돼.

그것은 한순간이나마 불법을 승인하는 것이 되기 때문이야.

용납 못해!
퍽!


*유린 – 남의 권리나 인격을 짓밟음.

물론 강도가 물건을 빼앗으려 할 때 자신의 목숨을 물건과 바꾸는 것은 어리석은 짓이야.

가진 거 내놔.
차라리 날 죽여라!
어리석음


하지만 이런 상황이 아닐 때는 소유권의 강탈을 참고 견뎌서는 안 된다는 거지.

MP3 100년만 빌려 줘.
어…


소유권은 인격의 한 부분이니까.

내 피 같은 MP3를…….


그 소유를 얻는 데 들인 노동과 열정이 소유자의 삶과 인격의 일부분을 형성하고 있어.

당장 돌려줘! 아르바이트해서 힘들게 산 거란 말이야!


소유는 인격의 가시적인 부분이야.

미… 미안.
흥!


이 말은 인격은 볼 수 있는 사물이 아니지만 소유가 인격의 보이는 모습이라는 뜻이지.

만만해 보였는데.


예를 들어 사랑하는 여인을 위해서 몇 년을 일해 모은 돈을 가지고 산 반지는 나의 존재와 인격의 한 부분이 분명하겠지.

와~


만약에 불법에 의해서 그 반지를 빼앗기게 된다면 법 감정에 상처를 받아 정신적인 고통을 당하게 돼.

!
허걱
킥킥
휘익

이런 경우는 생명을 걸고라도 그 불법에 맞서서 싸우려는 사람도 적지 않을 거야.
으악
크앙
그래서 소유권 자체를 부인하는 것은 인격을 침해하는 것으로 인정되는 거지.
내 반지.
무슨 일 있어요?


그런데 내가 모은 돈으로 반지를 하나 샀는데 어떤 사람이 나타나서 그것은 자기가 잃어버린 반지니까 돌려 달라고 한다고 가정해 봐.

앗! 그것은 제 것입니다. 돌려주세요.

저도 산 건데요.

영수증

이런 경우에는 불법이 문제가 아니지.
누구에게서 사셨나요?
저 사람이오.

이런 경우의 소송은 단지 그 반지의 주인을 가리는 소송일 뿐, 권리를 위한 투쟁으로서 소송은 아니야.
길에서 주웠는데 받은 돈은 다 써 버렸고….

강도가 나의 반지를 강탈하려 한다면 그것은 명백히 법이 보장하는 소유권법 자체를 무시하는 불법으로서 인정되고,
그러한 불법에 대해서는 권리 주장은 의무가 되지.
소유권
뽀각
이런 건 무시해도 돼!
내 반지 내놔.
만약 이 의무를 태만히 하면 정신의 생존 조건을 위기에 방치하는 거지.
내 반지…
털썩

권리 주장이란 불법에 맞서는 건전한 법 감정에 기초한 것이니까.
카오~
권리 주장

개인의 권리 주장은 대체로 사법의 영역에서 일어나.
화르르르..
크앙
사법

그러나 법 감정이나 권리 주장은 개인이나
사법 영역에만 국한되지 않고
권리
주장
법감정
개 인
사 법

공법이나 국제법에서도 가능하고
집단이나 민족도 주체가 될 수 있어.
우린 어디서도
가능해.
법감정
권리
주장
집 단
공 법
국 제 법
개인
사 법

민족 간의 권리 주장도 그 성격에
있어서는 개인의 권리 주장과
결코 다르지 않아.
집 단
개인
권리 주장

그리고 자신의 권리를 주장하는 자만이
자기 국가나 민족의 권리도 주장할 수
있어.
권리!

그렇지 않은 경우엔
어떨까?

자기 권리를 주장하는 데
무관심하거나 게으르거나 비겁한 사람
이 민족의 권리에 용감하고 헌신적일
수 있겠어?
펑
권리
나 몰라.
관심없어.
나 하나
쯤이야.

어때?
여러분의 생각은?

예링은 소유권에 대한 예민함이 자신의
소유에 대한 욕심이나 돈과 재산에
집착하는 물욕이 아니라고 했어.
아니야!
저것도
내 거야!
딱콩

소유에 대한 권리를 법이 인정하는 자신의 권리로
주장하려는 씩씩한 마음이라고 표현했지.
용돈 모아서
내가 산 거라
법적으로 내 거라고!
씩씩한
마음
푸
쉬
쉬
우씨

소유권을 방어하는 것은 법적 의무인
거지.
소유권

여러분은 불법을 행하지 않는 것과 참지 않는 것 중 어느 게 더 중요하다고 생각해?

불법을 하지 않는 것
불법을 참지 않는 것
?

예링은 '불법을 참지 않는 것'을 더 중요하게 생각했어.

불법을 참지 않는 것

'불법을 참지 말라!'를 '불법을 행하지 말라'보다 더 앞에 둔다는 거야.

금연석

불법을 용납하지 않는 곳에서 불법을 행하려 하지 않을 것이라는 거지.

금연 구역이야.
혼내 주자!
금연석

물론 모두가 불법을 행하지 않는 게 제일 좋아.

흥!
미…미안 합니다.
다음부턴 조심 하세요.

하지만 만약 불법을 행하려는 사람이 있어도

크흐흐

아주 사소한 거라도 자신의 권리를 포기하지 않는 사람에게서는 그의 가장 소중한 권리를 빼앗지는 못할 거야.

허걱
불법은 항상 대비하지롱.
잘 걸렸다.

그래서 권리자는 자신에게 일어나는 조그만 불법일지라도,

때려 봐!
때려
불법

단 한순간도 불법을 용납하지 않는 것이 건전한 법 감정에 따른 그의 의무인 거지.

악
퍽!
불법

권리 주장은 바로 자신의 인격 주장이며,

수리수리 마수리~
?
권리주장

자신의 정신적 생존 조건을 지키는 일이며 권리자 자신의 마땅한 의무란 말씀!

인격 주장
정신적 생존
펑
의무
와아
와
와!
권리주장

예링은 오스트리아 사람과 영국 사람을 비교했어.

VS

대륙을 여행하는 중인 한 영국 사람이 여관 주인의 속임수로 실제 돈보다 조금 더 많은 돈을 지불했다고 해.

!
!
모르겠지.

영국 사람은 자기에게 청구된 돈의 10배가 넘는 돈이 들더라도 그 여관에 머물면서 그 부당한 청구에 맞서 싸운다는 거야.

반납하라
내놔라

그 당시 영국은 부유한 나라라고 그 사람 역시 부유한 사람일지라도

흥!
돈도 많으면서…

그러한 작은 소유권 문제에 대해서 기꺼이 열정을 가지고 자기를 방어할 준비가 되어 있다고 해.

돈 문제가 아니라 내 권리의 문제요!

반면에 오스트리아 사람이라면 100명 중에 10명도 그 영국인처럼 행동하지 않을 거라는 거야.

내 돈 내놔

왜 그럴까?

대부분의 사람들은 권리 투쟁을 번거롭게 여기기 때문이지.

다음에 안 오면 되지 뭐.

뭐 그런 것을 가지고 저렇게 야단인가 하는 다른 사람들의 눈총과 또 다른 사람에게서 받을지도 모르는 불필요한 오해를 피하기 위해 아예 권리 주장을 하려고 하지 않는다는 거지.

부끄러워.

그렇다면 우리나라는 어떨까?

에헴!

우리나라 사람도 체면을 중요하게 여겨, 오스트리아 사람처럼 그냥 넘어갈 가능성이 높아.

뭔가 당한 느낌.
에헴

예링은 영국 사람이 지불하기를 거절하고, 오스트리아인이라면 지불하고 마는 그 적은 돈에는 지난 몇 세기 동안의 두 나라의 발전과 생활 모습이 반영되어 있다는 거야.

그래서 그냥 돈을 줬어?
주인하고 싸우기 싫어서…

영국은 아무리 하찮아 보여도 결코 불법이나 권리 침해를 용납하지 않는 반면,

덤벼
때려 봐.
탁
불법

오스트리아에서는 그렇지 않지.

귀찮아.
하암

여기서 영국 사람이 문제로 삼은 것은 결코 물질적인 가치가 아니라 권리의 이상적인 가치야.

오~
번쩍
권리
윽!

지금까지 살펴본 영국 사람은 바로 자신의 권리를 자신의 의무로 여기는 삶의 구체적인 예로 볼 수 있어.

권리
의무

개인이 자신의 권리에 대해 어떻게 행동하느냐가 그 나라의 국운을 좌우할 수도 있어.

권리
국가

만약 영국 사람이 영국에서 그렇게 행동했더라면 대부분의 영국 사람들은 그의 행동을 당연하게 여기고 그를 지지했을 거야.

결국 여관 주인에게 받아냈어.
잘했어.
짝짝
오~
짝짝

한때 신사하면 영국 신사를 떠올렸잖아.

별 말씀을.

영국 신사는 바로 이런 영국의 대표적인 상징이었지.
와

철학자 스피노자는 자신의 상속 재산에 대해서 동생과 법정에서 싸워 이긴 후 그 재산을 동생에게 다 주었다고 해.

봤지? 법적으로는 내 거였다고!

형!

소송의 목적은 재산을 갖기 위해서가 아니라 불법을 결코 용인할 수 없다는 뜻이었던 거지.
불법
촤 악


불법에 맞서 자신의 소유를 찾으려고 소송을 하는 사람이 소송에서 이겨 찾을 수 있는 돈의 액수보다 몇 배나 많은 소송비를 들여가면서 소송을 감행하는 것은, 불법을 결코 용인할 수 없다는 그의 권리 주장인 것이지.

내 권리를 찾으러 왔소!

소송비

권리

물질에 대한 욕심이 아니라
으흐흐..

짓밟힐 수 없는 소유에 대한 권리 주장이니까.
권리

소유를 불법으로 강탈하는 것에 맞서 싸우는 것은 권리 주장인 동시에 당연히 해야 하는 의무인 거야.

앞에서도 말했지만 어떤 방식으로든지 소유의 권리를 절대로 부인하지 않는 두 사람이 어떤 물건의 진짜 주인이 누구인가 가리기 위해 싸우는 것은 결코 권리 투쟁이 아니야.
엄마가 나 먹으래!
음…
나도 그래!

그것은 언제든지 서로 협상해서 해결할 수 있는 이익이나 이해타산의 문제지.
와아
만세

침해당했다고 하지만 알고 보면 상대편에 대한
증오심이나 분노의 표현과도 구분해야 해.
또 우리집 앞에 주차시켜 놨네!
퍽
헉!

권리 주장은 증오심이나 오해나 불신에 근거한
사생결단과는 다르거든.
도로가 당신 거야? 왜 차!
차니까 차지…

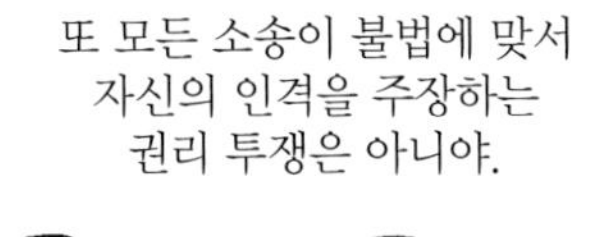
또 모든 소송이 불법에 맞서
자신의 인격을 주장하는
권리 투쟁은 아니야.

퍽

불법에 맞서 싸우고 권리를 주장
하는 것은 의무에 속해.
도로에 주차하는 건 불법이야!
남의 차를 차는 건 불법이야!

권리 주장을 사소한 이권 싸움이나
서로 증오심에 가득 찬 헐뜯기와
혼동하면 곤란해.
쾅
둘다불법
꺄
꺄

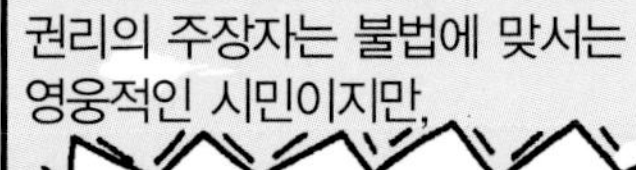
권리의 주장자는 불법에 맞서는
영웅적인 시민이지만,

이 사건을 계기로
공공 주차장을 많이
건설하도록
건의합니다!

사소한 증오심이나 불신 때문에,
혹은 물욕 때문에 진흙탕 싸움에
열을 올리는 것은
또 그 녀석 차구먼!
주차 금지
A
B

그저 평범한, 때로는 비열한 욕심쟁이에
지나지 않으니까.
에잇!
또 너야?
주차 금지
퍽!
A
B

잘 알겠지?
맛 좀 봐라!
윽!
퍽!
A
B

정당한 권리 주장은 권리자의
의무라는 것을 기억해.
쾅
둘다불법
A
B

다음 장에선 사회에 대한 의무를 살펴보자.
사회에 대한 의무

# 자연법

자연법이란 성문법처럼 문자로 기록된 법전은 아니지만 인간 행위를 평가하는 보편적인 도덕의 원칙에 바탕을 둔 법이라고 말할 수 있습니다. 그러므로 자연법은 어느 시대나 어느 곳에서나 어떤 민족이나 관계없이 보편적으로 인정될 수 있는 법입니다. 그 점이 실정법과는 구별되는 점입니다.

자연법은 그리스 철학자 아리스토텔레스가 주장했습니다. 그는 자연법은 어느 곳에서나 똑같은 효력을 갖고서 존재하며, 사람들이 어떻게 생각하느냐에 따라 존재하는 것이 아니라고 생각했습니다. 또 스토아학파는 자연법을 서로 다른 국가의 법체계의 기초에 놓여 있는 근본적 도덕적 원칙이나, 인간의 정신 속에 있는 '올바른 이성' 혹은 세계 속에 이미 있는 로고스라는 원리에 따르는 완전히 평등한 법이라고 생각했습니다. 그래서 로마 스토아학파의 대표적인 철학자인 키케로는 '진정한 법은 모든 인간 안에 들어 있는 영원불멸의 올바른 이성'이라고 했으며, 이러한 신념은 로마법에 수용되어서 특정한 시대나 장소에서 생겨나는 개별적인 법과 나란히 모든 사람의 행동을 규제할 수 있는 보편적인 법, 말하자면 보통법의 의미로 인정을 받았습니다.

한편 성 토마스 아퀴나스는 법을 영원법, 자연법, 인간법, 신정법으로 나누었는데, 영원법이란 자연의 법, 말하자면 오늘날 자연과학이 말하는 법칙 같은 법이고, 자연법은 인간의 본성 안에 있는 도덕적이고 윤리적인 법입니다. 그리고 인간법이란 인간의 역사에서 생겨난 여러 법들이고, 신정법은 신이 계시로 주는 법입니다.

아퀴나스는 자연법을 인간이 만든 인간의 법보다 우위에 있는 보편적인 도덕법으로 인정했는데, 자연법은 주로 기독교의 가르침과 많은 것을 공유하고 있었습니다.

▲ 그로티우스

근대에 와서 자연법은 국제법 학자인 그로티우스에 의해서 크게 발전했습니다. 당시 칼뱅주의자 요하네스 알투시우스가 성경에 나오는 예정설을 근거로 하나님의 뜻에 따라 모든 인간을 구속하는 법 이론을 정립하려고 했을 때, 그로티우스는 '하나님이 존재하지 않는다거나 하나님이 인간사에 관여하지 않는다.' 고 가정하더라도 자연법은 효력을 가진다고 주장했기 때문입니다. 이것은 신의 존재를 포함하지 않아도 인간의 이성이나 본성에 내재하는 도덕적 원리로부터 보편적인 법을 주장할 수 있다는 것을 의미했습니다.

토머스 홉스는 자유롭고 평등한 권리를 지닌 인간 각자가 서로에 대해 외로운 전쟁을 벌이던 자연 상태에서 인간사회가 시작되었다고 주장했습니다. 홉스는 자연권을 '인간이 자기 본성을 지키기 위해, 다시 말하면 스스로의 생명을 지키기 위해 각자 자신의 힘을 사용할 수 있는 자유' 라고 정의한 뒤, 자연법을 '인간이 자기 생명을 파괴하지 못하도록 이성을 통해 발견하는 일반 규범의 가르침' 이라고 정의했습니다.

자연법사상은 19세기 공리주의, 실증주의, 경험주의 등의 출현과 함께 현저하게 쇠퇴했다가 20세기에 들어서 제2차 세계 대전 이후 히틀러와 나치즘 혹은 공산 독재의 반인륜적인 야만적 전체주의에 반대해서 다시 주목을 받게 되었습니다. 자연법 사상가들은 자연법과 충돌하는 법, 실정법은 법으로 인정하지 않으려고 합니다.

# 제10장 권리 주장은 사회에 대한 의무다

권리
권리
권리
권리
권리
권리

앞에서 권리 주장이 권리자 자신에 대한 의무라는 것을 공부했어. 그럼 단지 권리자 자신에 대한 의무에 그치는 걸까?
권리 투쟁
의무

이 문제에 대해서 한번 생각해 보자.

앞에서 불법에 대한 권리 투쟁이 얼마나 중요한지 말했지?
크악!
불법

불법에 대한 권리 투쟁은 권리자의 정신적 생명의 보존을 위해 필수적인 거지.
당신은 나의 정신적 생명!
공주! 내가 지켜드리겠소!
크앙!
불법

또한 그의 시대와 사회 전체를 위한 의무도 돼.
권리 투쟁
의무

만약에 전쟁에 나간 군사들이 한 사람씩 도망치기 시작한다면 결국은 어떻게 될까?
더 커지기 전에 도망가자.
와아!

처음에 한 명이 몰래 도망치면 크게 문제되지는 않겠지.
히-
와아!
와아!

하지만 하나씩 하나씩 꼬리를 물고 도망치기 시작하면 그 싸움은 질 수밖에 없을 것이고,
나 하나 쯤이야.
나도.
나도.
와아!

마침내 그 국가나 민족은 심각한 위기를 맞게 될 거야.
다 어디 갔어?
킥킥

개인의 권리 주장은 전체적인 관점에서 볼 때 이와 같은 성격을 가져.
우르르…
항복

'국가란 권리를 가진 개인의 총화' 라고 볼 때 개인이 자신의 권리를 주장하지 않는 나라나 민족은 결국 국제 사회에서 자신의 권리를 주장할 수 없게 된다는 거야.
국가
권리
권리

자기 자신의 작은 권리도 찾지 못하는 사람이 국가와 민족의 권리를 찾는다는 것은 생각하기 힘든 일이니까.
엉엉!
엉~우리의 권리…
권
리

그래서 권리자가 자신에 대한 의무로서 불법에 맞서서 권리를 위하여 투쟁하는 것은 권리자 자신을 위해서도,
크앙

나라를 위해서도 중요해.
켁!
불법

결국 자기 자신을 지키지 못하는 사람은 그 가족이나 나라도 지킬 수 없는 것 아니겠어?
나와 공주와 내 가족과 우리나라를 위해!

법이 존재하는 것은 불법을 막고 평화를 이루기 위해서이고 그 수단은 투쟁이라는 것을 다시 기억해.
히~
법
켁
불법

법의 투쟁이란 다름 아닌 그 법으로부터 권리를 위임받은 권리자들의 권리를 위한 투쟁이라는 거야.

이번 달 월급 주세요.

돈이 없네.

사장

그래서 법은 그냥 법규로서 우리와 아무 상관없이 존재하는 것이 아니라, 불법에 의해 침해된 자신의 권리를 위해서 정당하고 용감하게 싸우는 그 권리자를 통해서 실현돼.
이 회사를 위해 열심히 일했으니 월급 받을 권리가 있소!
아! 깜짝 이야!
사장

그러니까 법은 권리자에게 합법적인 권리를 행사하도록 보장해 주고
그럴 줄 알고 친구를 데려왔지.
법대로 합시다!
법
헉

권리자는 자신의 권리를 지키는 불법과의 싸움을 통해서 그 법의 생명을 지켜 주는 거지.
드… 드리겠습니다.
법
힛
월급

앞에서 우리가 본 금연법을 다시 생각해 보자.

금연법이 모든 개인들에게 흡연에 대해서 싸울 수 있는 권리를 합법적으로 보장해 주지만
눈은 폼으로 달고 있남?
…
금연구역

아무도 흡연에 대해서 자신의 권리를 위한 투쟁을 하지 않고 관심을 가지지 않는다면
귀찮아.
?
콜록콜록

그럼 흡연을 막으려는 그 금연법은 이름만 법이지, 법으로서 아무런 구실을 못하게 돼 버려.
이게 뭐야?
피하면 되지 뭐….
금연구역
가자!

법이 생명을 얻는 것은 법으로 제정되었다고 해서 끝나는 게 아니야.
여긴가?
법

그 법으로부터 권리를 부여받은 개인들이 자신의 권리가 침해될 때 권리 주장을 해야 법은 법으로서 살아 있게 돼.
찾았다.
권리 주장
법

권리 주장은 자신을 지킬 뿐만 아니라 가족이나 민족을 지키는 힘이지.
권리 주장
와

나아가서는 법의 이념까지 실현하는 목적을 수행하는 거야.
법의 이념
권
리
주
장

1. 권리고 뭐고 나는 모른다.
2. 귀찮은 데 뭔 소리야.
3. 그냥 조용하게 살고 싶어.
4. 권리는 무슨 놈의 권리야.
5. 나 하나쯤…
6. 권리 주장 하지 않는다고 뭐 세상이 망하는 것도 아니고,
7. 나 혼자 권리 투쟁이니 뭐니 설쳐 봐야 내 속만 상하지.
흔히 이렇게 말하는 사람들이 있어.

사실 권리 주장이 생각만큼 쉬운 것은 아니야. 종종 희생이 따르기도 하니까.
권리 주장
희생

그래서 대체로 사람들은 '소송'이나 '재판'이란 말에 거부감부터 가져.
허걱
무서워!
뚝!
꺅

아무리 좋은 법이 만들어져 있다 하더라도 그 법으로부터 권리를 인정받은 사람들이 자신의 권리를 지키려고 하지 않으면 누가 그 권리를 지켜 줄까?
누가 나 좀 여기서 꺼내 줘요.
법

법의 의미가 없어지는 거지.
법 여기서 묻히다.

물론 이 땅의 모든 권리와 법을 혼자 전부 수호하는 것은 아니야.
불법
불법
불법
불법
불법
끙

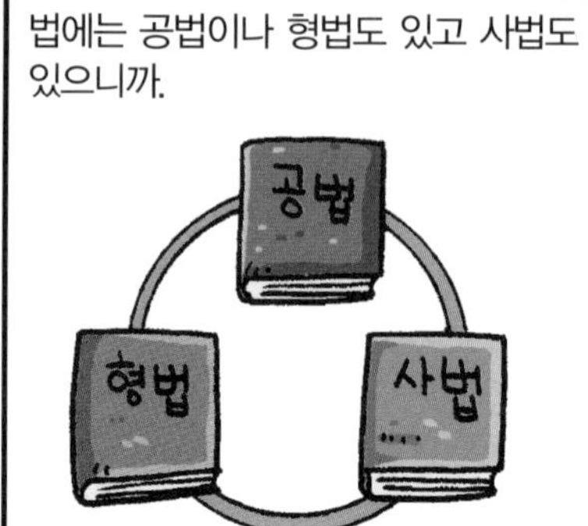
법에는 공법이나 형법도 있고 사법도 있으니까.
공법
형법
사법

공법은 주로 국가가 주체가 되는 법이지.
국가
공법
아이고 내 새끼~

공법은 국가에서 일하는 공무원들이 성실하게 지켜야 할 의무지만, 사법의 권리에 대한 의무는 개인이 몫이야.
공법
사법
공무원
개인

나 하나쯤이야 생각할 수도 있어. 정말 하나뿐일 때는 문제가 되지 않지.
툭
귀찮아.
휴지통

하지만 모든 사람이 다 그렇게 생각한다면 어떨까?
뚝

자신의 작은 권리를 인식하지 못하는 사람이 국가나 민족의 큰 권리를 생각할 수 있겠어?
나 하나쯤이야.
권리

평생 노예처럼 살아온 사람이 필요한 어느 때 갑자기 자유인처럼 행동할 수 있을까?
시키는 대로 해!
네.

자신의 권리도 주장하지 않다가 자신의 민족을 위해 위대한 권리를 주장할 수 있을까?
큭큭 바보
뭐, 그냥 참고 살죠.

그래서 공법은 국가나 공무원이, 사법은 각 사람이 자신의 권리를 지키는 데 앞장설 때 그 국가와 민족은 건강해져.
공무원
국가
공법
사법

오늘날은 우리의 소유권에 대해서 경찰이나 검찰이 법의 수호자 역할을 하지.
경찰
메롱

자신의 소유를 지켜 줄 법이 없던 시대를 생각해 봐.
헉!
펑
경찰
헤헤

자신의 권리를 자신이 지키지 않으면 누가 지켜 주겠어?
아항

강도에게 자신의 소유물을 강탈당해도 그에 맞서 싸울 생각을 전혀 하지 않으면,
헉, 눈 깜짝할 사이에….
참 쉽죠 잉~.
휘익
킥킥

온 세상이 강도로 득실거리겠지.
허걱
나도 도둑맞을 줄이야!
생
킥킥

반면에 각자가 자신의 소유물을 직접 지킬 각오를 하고 강탈하려는 불법과 용감하게 맞서면 소유권을 침해하는 불법은 현저하게 줄어들 거야.
이제 못 들어오겠지.
윽! 다음에 와야겠다.
전기

권리를 지키는 데는 희생이 따르기도 해.
이렇게나 많이.
전기요금 50만원

그런 희생에도 불구하고 그 권리를 주장하고 불법과 맞서 싸운다면,
하지만 내 권리를 위해서라면 지불할 수 있어!

나뿐만 아니라 내가 사는 공동체의 평화도 이룰 수 있어.
이 동네는 안 되겠다.

그리고 작은 권리라도 정당하게 싸워서 지켜 내는 사람에게 누가 가장 소중한 권리를 빼앗으려고 하겠어?
야 그거 줘 봐!
저게 내 아들 한테!

나라의 구성원에게 한순간도 무법 상태를 용인하지 않는 나라가 있다고 생각해 봐.
불법 응징

불법과 맞서 권리를 주장할 준비가 되어 있는, 이런 나라는 그렇지 않은 나라보다 훨씬 정의롭고 강한 나라가 돼.
공격 하라.
여긴 힘드네.
불법
여긴 쉽군!
튀자!

한 민족과 국가의 힘은 거기에 사는 사람들의 도덕적 힘에서 나오지.
옳은 건 옳다고 그른 건 그르다고 해야 한다.
네

진정한 의미에서 국력이란 이러한 힘이라고 말하고 싶어.
나라가 위기에 빠지면?
어떤 희생도 감수해야 해요!

국방력을 증강시키는 것보다 자신의 권리를 정당하게 방어하는 것이 더 중요해.
그렇지! 역시 내 자식들이야.
저 집안은 건들면 골치 아프겠는데….
와아
불법

불법에 맞서 항거할 수 있는 건강한 법 감정을 함양하는 것이 훨씬 큰 국력을 키우는 것이지.
제가 작다고 지금 저 무시하시는 겁니까?
아저…! 그게…
눈빛이 예사롭지 않은데?
불법

다른 나라가 공격해서 망한 것은 도덕과는 아무 상관이 없지 않나요?
음…

나라는 외침에 의해 망하기 전에 벌써 자기 내부에서 망할 조짐이 보여.
찌지직

외침에 의해서 망한 나라는 내부에서 망하기 시작한 것의 결과에 지나지 않아.
옥신
각신

자기 나라 국민을 망하게 하는 그 길은 적에게도 알려지는 법이거든.
히히
줄줄

역사는 우리에게 많은
교훈을 주지.
HISTORY
역사

역사에서 한 나라나 민족의 멸망은
그 민족 내부의 도덕적 부패의 결과요,
백성들이 굶어 죽건 말건 나만 잘살면 되지.
으하하..

법에 저항하는 법의 용기와 결단이
없어진 결과지.
술맛 좋다
이게 다 팔자 소관이란다.
아부지~ 배고파요!

가족과 민족을 수호하고 자랑스러운
법이념을 실현하는 것은 누군가가
대신해야 될 거대한 일이 아니라
두둥
와~

각자가 작은 불법의 침해에 대해서
씩씩하고 건전한 법 감정에 따라
자기 권리를 주장하고,
와~
와아
권리

자기 인격을 수호하는
일에서부터 출발해.
출발점
인격 수호
와아

그래서 권리자의 권리 주장은 자신의 생존을 지키기 위한
의무일 뿐만 아니라 공동체에 대한 의무이기도 해.
와아
와~
권 리 주 장

한 나라의 도덕적 힘의 차이는 그 국민이 가진
법 감정의 건전성과 그 법 감정의 자유로운
권리 주장의 차이에 달려 있어.
건전성
자유로움
법감정
심사위원

국가가 국민이 건전한 법 감정을
가지도록 가르치지도 않고,
찌익

또 그러한 법 감정에 따라 자신의
권리를 주장할 수 있는 모든 자유로운
행동의 길을 억압하면서
조용히 있어!
읍!
턱!

어떻게 그 국민이 도덕적이고
건전하기를 기대할 수 있겠어.
조용하니 좋군!
비뚤어질 테다.

자신의 권리를 스스로 지키는 사람이
그 민족이나 나라도 지킬 수 있어.

자신의 권리를 지키도록 훈련받지 못한 사람이
어떻게 나라와 민족을 지킬 수 있겠어?
우와
후우
불법

그래서 한 민족이나 국가를 건강하고 강하게 만들기를 원하면
먼저 그 국민 각자가 건전한 법 감정을 가지도록 훈련하고,

불법에 의해 권리 침해를 당할 때
용기와 결단으로 맞서, 자유롭게 행동
하도록 교육해야 하는 거야.
권리
와

이러한 훈련은 학교 책상에
앉아서 배우는 공부가 아니라

실제 생활에서 자신의 인격을 지키고
자기의 정신적 생존을 지켜내는
도덕적 훈련을 통해서 이루어지는
거지.

도덕적 훈련은 성적과는
상관없어.
!
휴지통

시험 문제를 잘 푼다고 해서, 좋은 성적을 받는다고 해서
좋은 시민이 되는 것이 아니니까.
다시 줍기
귀찮아.
탁
휴지통

이제 법의 목적이
평화라는 말이 이해가
되지?
법의 수단이
투쟁이라는 뜻은?

법 감정은 불법에 의해서 상처받은 고통에서 벗어나야 한다는 내면의 요구야.

불법

법감정

권리 주장은 권리자의 인격 주장이란 것이 당연하다는 생각이 들지?
권리 주장
인격 주장

이러한 행동은 자신에 대한 의무인 동시에 사회 전체에 대한 의무라는 것도 잘 기억해 둬.
권리
인격

여러분은 이제 권리를 위해 싸우는 법의 투사로 임명받았어.

각자가 자신의 권리를 지키려고 불법에 맞서 행동할 때 법은 그 존재의 목적을 실현하는 거야.
덤벼
법

다시 말해 시민 각자가 자기 자리에서 불법에 맞서 권리를 주장하는 그러한 작은 행동이 바로 자기의 생존을 지키고,
허허… 녀석도…
권리

사회와 시민을 지키고 나아가서는 건강한 나라를 위한 법이념도 실현하게 되는 것이지.
허걱
법이념
와

권리를 위한 투쟁이 나라를 위해 얼마나 중요한지 알겠지?

권리를 위한 투쟁은 피할 수 없고, 피해서도 안 되는 건강한 시민의 의무야.
투쟁
투쟁

여러분도 이 점을 명심하고 건강한 시민이 되도록 해.

좋은 시민으로 훈련된 사람이 결국 좋은 사회를 만들 수 있으니까.
좋은 사회
와!
와아
1
2
3

《권리를 위한 투쟁》이라는 책은 처음에는 좀 낯설고 어렵겠지만, 초등학교, 아니 유치원부터 배울 수 있는 권리 지침서로도 훌륭한 책이야.

불법에 맞서 자기의 권리를 주장하는 것은 자신의 삶을 지킬 수 있는 수단이니까.
권리

자신이 살고 있는 공동체 전체의 안녕을 위해서도 반드시 필요한 행동이라는 것을 이해하는 것은 어려운 일이 아니야.
쉽지?
네!

우리가 학급에서 모두가 지켜야 할 규칙을 세웠다고 해 봐.
☆ 지켜야 할 것.

처음에 다들 그 규칙을 잘 지키다가, 어느 날 한 사람이 그것을 지키지 않게 되면 처음에는 별로 큰 문제가 되지 않아.
휙

그러다가 규칙을 지키지 않는 사람이 하나 둘 점점 많아지면 문제가 생기겠지. 그러다가 지키는 사람보다 지키지 않는 사람이 더 많아지면 그 규칙은 심각한 위기를 맞게 돼.
퍽
뻥
우당탕

그럼 문제의 심각함이 엄청나게 커져.
빵
빵

학급 규칙 정도라고 얕보면 안 돼.
펑
헉!

국민의 삶이 이러하다면, 법이 전혀 법으로서 역할을 못한다든지,
법이 어디 갔지?
글쎄….
법

법이 보호해야 할 국민을 오히려 억압하는 도구가 된다든지,

그래서 국민은 불법을 오히려 용감한 행동으로 여기게 된다면, 이런 나라의 운명은 어떻게 될까?
생각만 해도 끔찍해!

한 나라나 민족의 생명은 그 국민들의 정신적 도덕적 자질과 불가분의 관계를 맺고 있어.
정신적
민족 생명
도덕적

적과 맞서서 싸우면서 자기 민족을 보호해야 할 군인이 만약 적에게 성문을 열어 주고 자기 나라를 공격할 수 있는 길을 만들어 준다면 그 나라는 멸망할 수밖에 없지.
다들 자고 있어요.

한 개인이 건강하고 자유로운 법 감정을 가지고 불법에 맞서서 싸우는 나라를 멸망시키기는 쉽지 않아.
공격하라!
와
와아

불법에 맞서서 언제든지 자신을 주장할 준비가 되어 있는 사람들과
와아

도덕적이고 정신적으로 건강한 사람들이 살고 있는 나라는 강하고 존경받는 나라가 돼.

설사 적이 침범해 온다 하더라도,
화살이 해를 가리다니.

싸우기를 포기하지 않을 거야.
그늘에서 싸우니까 좋은데?

또 아무리 강한 적이라도 그런 나라를 정복하기는 쉽지 않을 거고.
아우!
작은 고추가 맵다더니.

그래서 권리 주장은 자신에게만 의무가 아니라 공동체에 대한 의무이기도 해.
권리 주장

이러한 사실은 역으로 말하면 대부분의 사람들이 아직 그러한 권리 주장을 하지 않을 때 홀로 그 불법에 맞서 권리 주장하는 것이 얼마나 어려운 길인가를 말해 줘.
뭐하러 힘들게.
권리 주장
끙끙
쯧쯧
힝~

대부분의 사람들이 전혀 그렇게 생각하지 않을 때

홀로 불법성을 주장하며 자신의 권리를 주장하는 것은 얼마나 외로운 길이겠어?

실제로 개척자의 길은 항상 외롭고 험했어.
퍽!
퍽!

조선 시대에 양반 중심의 신분제도 철폐를 주장했던 《홍길동전》의 저자 허균의 운명을 우리는 잘 알아.
허균
1569-
1618

그는 결국 사지를 찢기는 형벌을 받았어.

자신이 속한 계급에서 권리 주장에 동참하지 않는 경우에는,

인간은 평등하고!

맹랑한 놈

권리를 주장하면서 홀로 외롭고 숭고한 순교의 길을 걷든지,

동료들의 수준에 맞게 자신을 적응하든지, 선택을 해야 해.
누구든 자기 분수를 알아야지.
양반이면 양반답게 살아야지.

그러나 시간이 지나고 대다수의 사람이 그렇게 생각하는 경우에는 불법에 맞서 싸우는 힘도 커지고 쉽게 목적을 이룰 수 있겠지.

와아!
와
불법

생명을 걸고 불법과 맞서 싸우는 한 영혼의 숭고한 희생은 더 많은 사람들이 더 빨리 불법과의 싸움에 참여하게 만들 수 있겠지?

와아
와

그 사람의 희생은 헛된 게 아닌 거야.

그래서 우리는 그런 사람을 역사의 위인이라고 불러.

감사해요!
위인

권리자의 권리 투쟁은 역사에서는 때때로 순교자의 길이 되기도 해.

권리 투쟁
이 한 몸 바쳐서…

아무튼 크게는 나라에서,

작게는 오늘 우리 삶의 작고 하찮은 일에서,

절대로 불법을 용납하지 않겠다는 의지의 권리 주장은 우리의 생존을 지켜주고 보다 정의롭고 나은 사회를 보장해 줘.

권리 주장은 자신의 삶을 지키는 것에서부터 시작하여 자신의 나라를 보존하고, 나아가서 인류 역사 전체를 정화하는 숭고한 일이 될 수 있어.

권리 주장

권리 주장의 의무를 수행하는 데 우리 중의 누구도 결코 게으르거나 비겁하지 않도록 해야겠지?

네!

앞에서도 말했지만 불법을
행하지 말라는 강령보다도
웬놈이냐
헉!

불법을 참지 말라는 강령을
더 앞에 내세우는 예링의 생각이
설득력이 있는 듯해.
거기 서!

결코 불법을 참지 않을 사람에게 불법
을 행하는 것은 쉽지 않을 테니까.
불법은
용서
못해
끈질긴
놈이네!

자신의 생명과 안정을 지킬 수 있는 총기 소지를 허락하는 미국은
결코 불법을 앉아서 당하기만 하지 않겠다는 미국의 정신이 반영된
법이 아닌가 해.

내 생명은
내가 지킨다!

원래 우리가
주인인데….

물론 그 총기 소지가 여러 사람의 생명을
앗아가는 또 다른 불법의 도구가 되기도
하지만,
돈 내놔!
읔

미국인들은 총기를 불법에 맞서서 자신의
권리를 주장하는 궁극적 수단으로 인정해 온
미국 역사의 전통을 수용하고 있는 것 같아.
못 내놔!
허걱
철컥

여러분은 이제 어떤 사람이 자기 나라 법에 따라 자기 개인의
권리를 주장한다면 그것은 단지 그 한 사람의 권리 주장으로
끝나는 것이 아니란 것을 알겠지?

불법에 맞서서 자기 개인의
권리를 주장하는 것이
왜 중요하다고 했지?
법!

맞아. 그것은 바로 그 나라의 법 자체를
주장하는 것이 되기 때문이야.
권리
법

왜냐하면 그 권리는 그 나라의 법이
인정한 권리이고, 그 권리를 부정하면
법은 자신을 스스로 부정하는 것이
되니까.
어…
법
흔들
흔들
헉!
권리

권리를 주장하고 그 권리를 실현한 사람은 자신의 개인적 권리만 실현한 것이 아니고,
권리

그 권리 실현을 통해서 그 권리를 인정하는 그 법의 목적을 실현한 것이지.
권리
법

법의 이념은 법의 목적을 실현하는 거야.
?
법의 목적

법의 목적은 평화라고 했어.
와~
평화

개인이 불법에 맞선 싸움을 통해서 자신의 권리를 되찾는다면 이것은 법이 목적으로 하는 평화를 실현한 거야.
끙차!
권리 투쟁

그러니까 법이 자기 목표를 실현한 것에 해당한다는 말이지.
법
평화
권리 투쟁

반대로 법이 그러한 개인의 권리 주장을 묵살한다면,
안 들려….
법

그것은 스스로 불법을 조장하여 법의 목적을 배신한 것이고,
불법
흥! 말할 때 잘 듣지.
으악
법

그렇게 침해된 권리는 결국 상처와 멍이 되어 개인뿐만 아니라 국가 전체의 아픔으로 돌아오게 돼.
말할 때 잘 들을걸.
헉헉

그리고 마침내 한 민족이나 국가의 운명이 위기에 빠질 수도 있어.

역사로 눈을 돌려 보면 얼마나 많은 민족과 나라들이 이렇게 흥망성쇠를 거듭했는지 배울 수 있어.

좌르르...
흥망성쇠
역사

여러분은 이제 권리를 위한 투쟁의 중요성을 배운 거야.

그렇구나!

# 실정법과 법실증주의

실정법은 법률적 용어로서 자연법과 대립해서 인간이 만든 법 혹은 공인된 정부기관에 의해서 제정된 법이나, 입법을 통해 제정되거나 경험적 사실에 의거하여 형성된 법을 말합니다. 일상적인 의미로 실정법은 특정한 시대와 사회에서 구체적이고 실질적인 효력을 가지고 있는 법규범을 말하며, 제정법 · 관습법 · 판례법 · 조례 등을 포괄하는 개념으로 쓰입니다. 때로 실정법은 한 사회의 규제를 위해 권위 있는 기관이 제정하거나 채택한 구체적인 법이라는 협의의 의미로도 사용됩니다. 오늘날 우리나라에서 효력을 갖는 헌법이나 형법, 형사소송법, 민법, 민사소송법, 상법 등의 6법을 비롯해서 국회법이나 정부조직법이나 기타 모든 법이 다 실정법에 속한다고 할 것입니다.

서구에서는 14세기 이후 실정법이라는 용어를 '인간에 의해 제정되거나 만들어진 법'을 가리키는 것으로 사용되었습니다. 따라서 당시의 실정법은 '인간에 의해서 만들어지는 것이 아니라 발견되는 것으로 알려진 자연법'과는 대립적인 의미를 지녔습니다.

제정된 법으로서의 실정법은 경우에 따라서는 권력의 도구로 사용될 수도 있습니다. 왜냐하면 국가가 공인된 국가기관에서 제정된 법은 시민이나 국민의 의지에 반대된다 할지라도 법으로서 효력을 가질 수 있기 때문입니다.

19세기 이후 실정법은 콩트에 의해 확립된 실증주의라는

철학에 의해 변화를 겪게 됩니다. 실증주의란 인간에 의해 관찰될 수 없다면 아무것도 존재한다고 말할 수 없다는 주장을 통해서 법학의 영역에도 영향을 끼쳐서 실증주의적인 법 개념을 만들었습니다. 실정법 사상은 실증주의자들이 주장하는 것과 여러 가지 일치점을 보여줍니다. 실증주의자들이 주장하는 법에 관련된 내용은 다음과 같습니다.

▲ 오귀스트 콩트

첫째, 법과 도덕은 때로 중복되거나 인과적으로 연계되기도 하지만 이들 간에 어떠한 필연적인 관계는 없다. 둘째, 사법적 판단은 법규범으로부터 논리적 수단에 의해 추론되어야 하며 판사는 어떠한 개인적 선택이나 창조적인 활동을 해서는 안 된다. 셋째, 아무리 법이 도덕적으로 부정(不正)하다고 하더라도 법에 복종해야 하는 절대적인 의무가 있다.

그래서 실증주의자들은 법의 의미를 주권자의 명령이나 의지의 행위에서 찾습니다. 물론 여기서 주권자는 실정법에 따라 통치하는 국가가 될 것입니다.

실증주의자에 의해 탄생한 법실증주의는 법의 개념적 체계를 분석하는 일을 중요하게 여기는데, 정당한 절차에 따라 성립하는 법률만을 법으로 인정하며, 추상적이거나 도덕적인 접근을 배제합니다. 좁은 의미로 사용되는 실정법은 이러한 견해와 전적으로 일치한다고 말할 수 있을 것입니다.

하지만 법실증주의는 법을 지나치게 신성시하는 법률 만능주의 사상으로 인간의 권리를 억압하는 불법에 대해서 제대로 대처할 수 없는 약점을 가지고 있습니다. 하지만 실정법과 함께 법실증주의는 형식적, 합리적으로 법적 안정성을 확보함으로써 근대사회에서 법의 합리화를 세우는 데 큰 역할을 했고, 법치국가에서의 합법성의 원리 및 이에 기초한 법체계를 확립하는 데 큰 기여를 했다고 평가됩니다.

# 제11장 권리 주장의 다양한 모습

이제까지 권리 주장에 대해서 충분히 살펴봤어.
원석을 보석으로 만들어야지!
권리주장

앞에서 얘기했듯이 권리 주장이 언제 어디서나 동일한 모습으로만 나타나는 것은 아니야.

일차적으로 권리 주장은 각 개인의 자기 생존을 위한 인격 주장이기 때문이지.
권리
인격

사람이 어디에 속했느냐에 따라서 권리 주장의 발생과 대상이 서로 다를 수도 있어.

권리 주장은 개개인이 불법에 의해서 침해된 인격적 손상을 느끼는 법 감정에서 유래하는 것이야.
와
와-아
법감정

그런데 모든 사람이 똑같은 법 감정을 느끼는 것은 아니야.
법감정
법감 정

권리 주장의 본래적인 성격은 모두 같아.
엄마
엄마
권리 주장
권리 주장

불법에 맞서서 침해받은 정신적 고통에서 벗어나기 위해 행하는 인격 주장의 원래 모습은 어떤 권리 주장에서도 동일한 성격을 가져.
더 이상 바보처럼 참지 않겠어!
바로잡고야 말겠어!
불법

여러 권리 주장의 본래적인 성격은 동일하지만 모습은 다양해.
권리 주장
권리 주장
권리 주장
권리 주장
권리주장

여기서 예링이 제시하는 권리 투쟁의 예를 정리해 보자.
흠흠.

우리가 일반적으로 권리라고 하는 것은 사실 여러 가지 개개의 권리들이 합쳐진 거야.
권리
대표적으로 소유에 대한 권리, 결혼할 수 있는 권리, 명예에 대한 권리나 시민이나 국민으로서의 권리 등 법에 정해진 권리는 여러 가지야.
개표소
오~
와
한 사람이 가지는 권리는 여러 가지가 있으니까.
권리

그리고 이 각각의 권리는
저마다 자기의 육체적
정신적 조건을 가져.

재산에 대한 권리는 결혼에 대한
권리하고 성격이 다른 권리이지.
재산
결혼

그리고 어느 권리에 더 민감하거나
집착하느냐 하는 것도 권리자의 개인적,
육체적, 정신적, 사회적 조건에 따라서 달라져.
난 양파는 싫어!
볶아 주세요!
생으로 먹죠!
찜이 최고야

소유에는 별로 예민하지 않은데 명예에는
아주 예민한 사람도 있고, 그 반대의 사람도
있지.
명예
소유
소유
명예

권리란 그냥 법전에 쓰인
글자로서 권리가 아니라
권리

시대와 장소에 따라 행동하고
있는 사람의 구체적인 권리야.
권리

사람에 따라 당연히 권리
행사에 대한 육체적, 정신적
조건을 가진다는 것을
이해하기는 어렵지 않지?

법이나 권리는 이론이 아니라
행동과 실천이니까.

권리라는
생존 조건은
구체적으로 주장되는
것이지.
권리

불법이란 법을 무시하고
자기 마음대로 하려는 거야.
백성들
돈으로 먹고
마시자!
법

자기 마음대로 하는 사람은 다른 사람의
생존 조건을 침해하지.
...
크하하
먹고 죽자!!
흑흑
엉엉
아빠 배고파
죽겠어요.

법이 있는 한 이러한 불법은
절대로 용납될 수 없어.
암행어사
출두요!

법이 소유에 대한 권리를
인정하고 있는데,
법
소유

다른 사람의 소유에 대한 권리를 인정하지
않고 자기 마음대로 그 권리를 침해하는 것은,
킥킥
○○은행
이걸로 맛있는 거 사 먹어야지.

예를 들어 다른 사람의 소유를
강제로 빼앗는 것은 자의로서
불법이지.
악! 내 돈!
이제 내 거야!
탁

이러한 행동은 법이 정한 소유권 자체를 거부하는 것으로,
법에 대항하는 불법이야.
불법은 용납 못 해!
우악
퉁
법
자, 밑에서 그 인과관계를 살펴볼까?
법적으로 소유권을 가진 사람의
소유권 자체를 부인하며 소유를
불법으로 침탈하는 행위를 당했을 때,
이제 니 소유권은 내 거다.
어…
불만 있냐?!
소유권
물건의 소유권을
강제로 빼앗기는
사람은 법 감정이 상처를 입고,
인격이 침해당하는 고통을 느끼게
되며,
이대로 당할 순 없어!
킥킥킥
법감정
소유권
그러한 고통으로부터 벗어나야
한다는 정신적 요구가 생기게 되고,
생존을 위하여 권리를 주장하는
행동이 발생해.
재가 훔쳐 갔어요!
흥!!
법
소유권
크아아..

그래서 불법은 결코 용인해선 안 돼.
불법

비록 잠시라도 불법은 법의 무력함이나 부재를 말하는 것이니까.
킥킥 다 버렸다.
법
법
법

그래서 권리 주장은 법의 존속과 합법적 정당성을 위해서 반드시 필요한 행동이야.

권리 주장에 대한 예를 살펴보자.

예링은 농민과 사관을 비교했어.

농민은 땅에 대한 강한 애착을 가진 사람이고 반면에 사관은 명예에 집착하는 사람이지.
땅이 최고여!~
아닙니다. 명예가 최곱니다.
팍 직

소유나 명예나 다 권리지만 농민이나 사관이 두 가지 권리에서 똑같은 정도로, 똑같은 방식으로 반응하지는 않아.
명예
퍽
모기가 있나?
퍽
소유
하 암!
하 암!

누구든지 강한 애착을 가진 권리가 침해를 받으면 그만큼 정신적 고통도 커지고 저항도 커지게 돼.
소유
퍽
으악!
명예

그러니까 농민은 땅이 침해를 받으면,
이 자식이 거긴 내 땅이야!
내땅

사관은 자신의 명예가 침해를 받으면 더 강한 반발을 보이지.
너 겁쟁이지~
뭐야?
두 번 죽고 싶냐, 앙?

사관이나 농부나 각각 자신의 권리에 대해서 분명한 느낌을 가지고 있어.
소유
명예

사관 계급은 그 성격상 절대로 비겁해서는 안 되는 계급이지.
진격하라!
와!
와아

군인은 한 국가와 국민의 평화를 지키는 집단인데,
와아
와
우르르르
히히

만약에 군인이 비겁하다면 어떻게 될까?
나만 살면 돼! 흐흐흐

그 군인이 싸움이 두려워서 도망친다면 그 결과는 그 나라의 운명과 국민의 삶에 치명적이겠지?
으악

사관은 명예에 예민하도록 훈련을 받게 되고,
우리나라는 우리가 지킨다!

그래서 명예를 모르고 비겁한 사람을 가장 혐오하지.
흥! 비겁한 놈!

반면에 농민은 명예보다는 땅과 소유에 집착하지.
어이구 내 새끼들, 밤새 잘 잤니?

농민이란 노동을 요구하는 직업이어서
집에 가자.

농민들은 소유에 대해서 누구보다도 더 잘 이해해.
풍년이구나~
창고
수북

농민은 명예의 권리 주장에 대해서는 사관처럼 예민하지 않아.
허허
명예가 밥 먹여 주남?

그렇지만 땅의 결실에 대한 공격을 받으면 문제가 달라져.
으악! 내 새끼들.
창고
텅-텅

농민은 땅을 경작하는 데 게으른 사람을 가장 혐오하지.
한심한 놈!!

농민은 누구에게 뺨을 맞거나 명예를 모욕당하면 예상외로 쉽게 협상이 가능하지만,

사실 내가 너 때렸어. 미안!

괜찮아.

땅이나 양, 소, 가축 등 소유가 침범을 받는다면,
사실 내가 니 소 훔쳤어. 괜찮지?
!

아주 엄청난 저항을 해.
괜찮긴, 당장 다시 갖다 놔!

예링이 든 예를 보면 한 농민은 자기 눈알을 뽑은 사람에게도 법대로 쉽게 협상을 했다고 해.
살다 보면 그럴 수도 있지.

그렇다면 사관은 어떨까?
사실 내가 너도 때렸어. 미안!
괜찮아!
허허

그러나 명예가 모욕을 받거나 뺨을 맞고도 농부처럼 처신한다면 심각한 비난을 받게 될 거야.
자존심도 없나….
나 같으면 확!
바보
수치

만약에 농민과 사관이 각각 법을 제정한다면 아마 사관은 명예에 대해서 가장 강력하게,
명예훼손

농민은 소유에 대해서 가장 엄하게 제정할 거야.
소유권

농민이 명예에 관한 재판의 배심원이 되고, 사관이 양이나 가축에 대한 재판의 배심원이 되었다고 생각해 봐.
배심원석

아마 상당히 너그러운 판결을 기대할 수 있을지도 몰라.
그 정도야 뭐!
무죄

반면에 농민이 땅이나 소유에 대한 재판을 하면 어떨까?
천벌을 받아도 돼!
유죄

사관은 명예에 관한 소송에서 배심원을 하게 한다면 앞에 재판보다는 훨씬 더 예민하고 엄한 판결을 할 거야.

명예
배심원석

농민이 명예를 공격받았을 때 가지는 분노는 땅이나 가축 같은 소유를 공격받을 때 갖는 분노보다 많이 부드러울 테고,

명예가 밥 먹여주나~
명예
배심원석

사관은 아마 정반대일 것이라고 예링은 장담해.

콰아아
소유

그래서 권리는 구체적인 권리이고 구체적인 행동을 요구하는 것이고,

구체적 권리
구체적 행동

권리마다 구체적인 조건을 갖게 되는 것이고 구체적으로 주장되어야 한다고 말했던 거야.

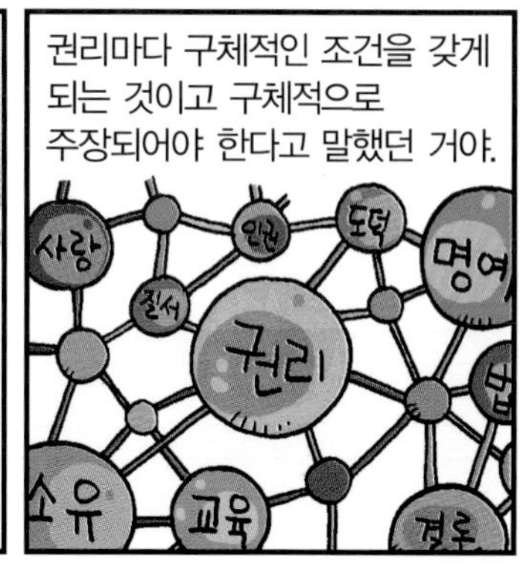
사랑
인권
도덕
명예
질서
권리
법
소유
교육
결혼

앞에서 살펴본 개인적인 혹은 계층적인 특징은 국가적인 차원에서도 비슷한 의미를 갖는다고 말할 수 있어.

핑그르르..

농민 같은 국가가 있을 수도 있고, 사관 같은 국가가 있을 수도 있지.

모든 국가는 그 존립을 위해서 가장 소중하게 생각하는 생존 원리가 다르게 마련이니까.

인민!
자유!
자유!

그 생존 원리를 침해하는 범죄에 대해서는 아주 엄하게 다루고,

니가 우리 귀한 아들을 때렸어?
윽!
흑!

반면에 여타 다른 범죄에 대해서는 관대한 태도를 가지게 되는 경우가 많아.

죄송합니다!
놀다 보면 그럴 수도 있지.

신정 국가에서는 그 신을 배신하는 우상 숭배를 가장 혐오할 만한 범죄로 생각해. 모세의 율법과 고대 이스라엘을 생각해 봐.

감히 우상숭배를!

콰광

반대로 농업 국가인 고대 로마에서는 국경선을 이동하는 범죄는 아주 엄하게 다스리는 대신 신을 모독한 사람에게는 지극히 관대한 형벌을 가했다고 해.

적당히 좀 해라.
니가 지금 죽고 잡냐!
국경선
로마
ROME


마찬가지로 상업을 최고로 하는 국가에서는 화폐를 위조하는 범죄를,

삐익!
쾅!


군사 국가에서는 명령에 불복종하는 항명을,

니가 나보다 높으면 다야?


전제 국가에서는 군주에 대한 반역을 가장 큰 범죄로 엄하게 다스릴 게 분명하지.

개인이나 집단이나 국가나 중요한 생존 조건이 위협당하는 경우에 가장 격렬한 법 감정의 반응을 보여.

사형!
탕탕


권리를 위한 투쟁에서는 법 감정의 민감성이 아주 큰 역할을 해.

헤~


침해받을 때 더 큰 고통을 수반하는 것에 더 강한 저항을 시도할 테니까.

펑
악!

농민이 땅에 대해 종종 격렬하게 권리를 주장하는 것은 사실 그 땅이 엄청 비싼 땅이기 때문이 아니라 자기 것이기 때문이지.
아부지 땅 값이 엄청 올랐대요! 땅 파세요!
끙~

물질에 대한 욕심 때문이 아니라 자신의 소유를 방어하려는 목적이지.
억만금을 준대도 싫다! 내 자식 같은 땅을….
쩝

소유물은 단지 내 삶을 유지하고 누리기 위한 수단에 불과하다고 생각하는 사람도 있을 거야.

많이 소유하는 것이 윤리적 목적이 아니듯이 소유가 걸린 문제에서 소송을 제기하는 것도 윤리적인 목적이 아니라고 주장할 수 있어.
이거 아닌가요?
소유 ➡ 윤리와 상관 없음
소유권 소송 ➡ 마찬가지

예링은 이런 생각은 건전한 소유감의 변질이라고 생각해.
소유감의 변질?
설명해 줄게.

소유의 근거는 원래 노동이야.
수고했네! 여기 월급.
사장

건전한 노동을 통해 얻어진 결과물에 대한 권리가 소유권이니까.
소유권

물론 여기서 노동은 손발로 땀흘려 일하는 것만이 아니라 모든 지적 정신적 노동도 포함해.

요즘 지적 소유권이나 저작권법은 지적, 정신적 노동의 정당성을 인정하는 법이지.
저 노래 내 노랜데!
이크! 들켰다!

그래서 소유는 노동과의 결합에 의해서만 원천적으로 분명해져.
소유
노동

상속권도 바로 노동의 주체가 자손에게 물려주려는 결단에서 생겨나는 소유의 권리에 속한다고 말해.

소유권

소유권을 자식에게 물려주는 것의 선택은 소유주의 권리에 속하니까.

권리
소유권


그래서 소유주가 명백하게 건전한 노동만으로 모은 재산에 대해서 상속의 권리는 인정되어야 하는 거야.

소유권


그러나 그 소유가 건전한 노동이 아닐 수도 있어.

세금은 내지 말고,
회사 돈은 빼돌리고.
크크…


만약 그 돈이 부정 축재한 것이면 상속은 결국 불로소득이라는 비난을 받겠지.

생일 선물!
아빠 최고!


게다가 비난뿐만 아니라 나라에서 법적으로도 제재를 가할 거야.

조세포탈, 횡령 혐의로 체포합니다.
망했다!
털썩


정상적으로 벌지 않은 재산으로 그 자손이 일하지 않고 부를 누린다고 생각해 봐.

어이 아가씨, 내 차 죽이지?


이 책을 보는 여러분의 느낌은 어때?

권리를
위한


아마 대부분의 사람은 건전한 소유와 신성한 노동에 대한 법 감정이 아주 상할 거야.

아가씨 놀자!
죽어라 일해도 입에 풀칠하기 힘든데….


땀 흘려 일하는 사람이 자신의 소유물에 진실한 애정을 가지는 것은 당연한 일이지.

여러분도 자신의 소유에 대한 진실한 애정을 가질 수 있는 사람이 되길 바라.

소유
소유
소유
소유

그런데 요즘 불법이나 투기로 일확천금을 번 사람들과 그들의 부패한 삶이 우리 사회 곳곳에 전염되면서,
김 기사~
부동산 투기로 엄청 벌었대요.

땀 흘려 일하는 사람은 멍청이가 되지.
그러게 우리도 땅을 사 모았어야 했는데.

많은 사람들이 땀 흘려 얻은 자신의 소유를 축복으로 여기지 않고 오히려 저주로 여기게 되는 불행이 만연하고 있어.
평생 일하면 뭐해요! 저것 봐요.

참 안타까운 일이지.
에휴-

평생을 피땀으로 모아도 한 번의 부동산 투기로 모은 것에 비교할 수 없으니까.
인생 한탕이지!
…

그래서 요즘은 아무리 열심히 일해도 내 집 한 칸 마련하지 못한다는 위기와 불만이 높아지는 거야.
이렇게 집이 많은데 내 집은 없구나.

이런 경우에 누가 열심히 일하려고 하겠어?
열심히 해 봤자야.
잠이나 자자.
시들 시들

예링은 공산주의는 소유권이 완전히 소멸돼야만 가능하지, 소유권이 소멸되지 않으면 결코 있을 수 없다고 말해.
소유권이 넘어오면 안 돼!
소유권
탕탕
공산주의
촤아

요즘은 도시가 점점 팽창하면서 농민들도 이제 땅과 농사에 대한 노동의 가치를 외면하게 되었지.
힘들게 일해도 돈이 안 되네.

농사를 귀하게 생각하지 않아.
안 되겠다. 도시로 가자!

도시의 물질만능과 소비 풍조가 농촌에까지 밀려오면서 땀 흘려 농사지으려는 사람이 없어지고,
도시엔 없는 게 없대.
돈도 잘 번대.
우리도 가 볼까?

다들 도시로 가려고 하겠지.
도시로 갑시다!
우르르르르...

보통 사람은 농촌에서는 농민의 절약을 본받을 것이고,
쌀 한 톨도 귀한 거여.

농촌에 사는 부자는 농민처럼 절약하겠지만,
고치면 10년은 더 신을 수 있겠군.
너덜너덜

반대로 대도시에서는 과도한 소비를 쫓게 되므로 대도시에 사는 가난한 사람이라도 지나친 소비를 하게 되겠지.
신상녀.
나도 사고 싶다.
와~

그래서 소유와 권리 주장이 전혀 상관없다는 생각은 단지 자신의 비겁과 안일을 정당화하려는 얄팍한 처세술에 불과해.
소유
권리 주장

예링의 주장에 한 표!
나도~ 나도~
예링

그래서 권리 포기는 불행한 것이지.
권리를 포기하시지.
으~
헉
헉
불법

한 사람이 싸워서 뭘 얼마나 얻을 수 있으며,
권리 투쟁

또 불법을 당한 사람의 문제는 그 사람 문제라고 생각할 수도 있겠지만,

다수의 사람들이 권리 주장이나 법 감정에 무감각해지면 결국 불법이 온통 유행하게 되고 문제가 커지겠지.
도와 주세요.
그냥 가자.

만약에 온 나라에 사기꾼, 도둑, 깡패와 강도들이 판을 친다고 생각해 봐. 정말 끔찍할 거야.
.....
내 돈 내놔!
사람 살려!
돈 내놔!
도둑이야.
으악

요즈음 우리 시대는 권리의 많은 부분을 국가나 국가 기관이 대신해서 해 주는 것이 많아서 잘 느끼지 못하는 점도 있을 거야.
우리가 지켜 줄게.
권리
국가

만약 경찰이 도둑으로부터 우리 재산을 보호해 주지 못한다면
내놔
크악 무서워.
헉!

사람들은 당연히 자신의 권리를 지키려고 할 거니까.
이판사판이다.

하지만 불법에 대한 투쟁을 포기하면 그것은 불법을 조장하는 것이 돼.
있는 거 다 내놔.
여…기 있습니다.

불법이 존재한다는 것보다도 그 불법에 저항하지 않은 것이 더 비난을 받아야 되지.
쉬운데.
너도 내놔.
빨리 가자.

불법은 당연히 비난을 받아야 하지만, 탓하기만 하고 불법을 참고 견디는 법도 함께 비난을 받아야 해.
쉬운 줄 알았는데.
너도 잘못했어!
칫!
딱콩

법이 불법을 참지 않는다면 불법은 사라질 테니까.
불법 용서치 않겠다.
법
으아

불법은 한시라도 허용해서는 안 돼.
법
아둥바둥

권리 포기란 바로 불법을 허용하는 것이지.
내 사전에 포기란 없다!
불법
퍽

만약에 고용주가 종업원을 마음대로 하고,
짤리기 싫음 가서 일해!

장사하는 사람들이 저울이나 가격을 속이고,
뭔가 손해보는 듯.
10000원이면 거저예요. 떨이~

돈을 빌려 쓰고도 갚을 생각도 안 하고 뭐든지 자기 마음대로 한다면?
끔찍해.
난 용서 못해!

오늘 우리나라 사람들이 종종 "세상이 이래서 뭐가 되려고…." 하면서 탄식하는 일이 이런 감정일 거야.
사건사고가 넘치고 있습니다.
쯧쯧쯧..

오늘날 우리가 서로 믿지 못하고 정부나 국회나 법이나 도무지 믿을 것이 없다는 그 절박감과 허탈감은 어디에서 오는 걸까?
세상에 믿을 놈 하나도 없어!

법을 비웃고 불법이 성행하니까,
크흐흐 니가 법이냐?
불법
뚝뚝
법

법이 불법을 참고 불법과 맞서 싸우지 않으니까,
전… 밥이예요. 법 아니예요.
바보
밥
불법

개인들이 물질에만 욕심을 내고 노동을 통한 건강한 소유를 우습게 여기니까,
넌 뭐냐.
야 돈 있냐?
킥킥
킥킥
건강한 소유
툭

법이 제대로 자기 책임을 다하지 못하고,
왜 열심히 땀 흘려 일해? 부동산 투기 한 번만 하면 되는데.

국민은 범죄자를 동정하게 되고,
군대는 왜 가. 슬쩍 빠지는 길이 얼마나 많은데.

범죄자는 죄를 범하고도 스스로 의인이라고 목청을 높이고,
역시 난 똑똑해.

불법으로 기회를 잡은 소수는 영웅이 되고 법을 지키는 다수는 멍청이가 되는 이런 세상.
세상 살기 참 쉽죠잉~♬

그래서 예링의 《권리를 위한 투쟁》은 우리에게 소중한 책인 거야.
권리를 위한 투쟁
쾅

불법 때문에 우리나라가 지불해야 하는 비용과 시간은 다른 어떤 것보다도 비싸고 고통스럽지.
우리나라는 썩었어!
나도 이민이나 가려고.
까악

그런 대가를 치르지 않으려면 무엇보다 예방이 중요하겠지.
예방접종
생각보다 안 아프네.
콕!

국민 각자가 건전하고 씩씩한 법 감정을 가지고
법감정
불끈

불법에 맞서 자신을 지키는 권리 주장을 하도록 교육하는 것만큼 더 절실한 것이 무엇이겠어?

밑줄 쫙.

권리 주장

법을 우습게 생각하는 나라는 결국 우스운 꼴을 당하게 된다는 것은 우리가 결코 잊어서는 안 되는 역사의 교훈이니까.

법

권리의 주장은 불법에 의해서 짓밟힌 정신적 고통에서 인격을 보존하려는 행동이라고 했지.
권리를 지켜야 돼.
불법
법
권리

그런데 권리를 주장하면서 법을 짓밟고 자기 마음대로 자기 권리만 주장한다면 그것은 정당한 권리 주장이 아니겠지.
퍽
권리 주장
내 권리만 찾으면 그만이지!
불법
권리

자기 생각을 관철하기 위해서는 어떤 행동도 정당하다고 생각하는 것이야 말로 가장 천박한 이기주의이고
내 권리만 지키면 돼!
권리 주장

결코 법의 투쟁으로서 권리 주장은 아니야.
비켜!
권리 주장
법

목적이 정당하면 수단도 정당하다는 식으로,
퍽!
법

평화를 위해서 폭력을 저지르는 것이지.
평화

이러한 잘못된 생각이 권리를 위한 투쟁의 오해라고 할 수도 있어.
피…

권리 주장의 방식으로 폭력을 사용하는 것은 합당하지 않아.

마찬가지로 법이 그 사회에서 권력자나 강한 자들의 이익을 대변하는 도구가 되어서도 안 되겠고.

크하하!

법

또 법이 권력 앞에 무릎을 꿇거나, 정의를 지켜야 할 곳에서 불법을 저질러서도 안 돼.
크흐흐흐
법

우리가 말하는 권리 투쟁은 법이 불법에 대항하는 싸움을 말하지 불법이 법에 대하여 벌이는 싸움이 아니니까.
불법
권리
권리
법

법의 이름으로 불법을 행한다는 것은 모순이지.
내가 법이다!
불법

법을 무력화하려는 불법의 도전은 인간이 존재하는 한 계속될 거야.
법

그러나 법은 결코 불법에 무릎을 꿇어서도, 불법에 맞서는 이 고단한 싸움을 포기할 수도 없으며,
포기 못해!
쨍
법
불법
불법
불법

또 해서는 안 되겠죠.
아하.

법이란 법 감정에서 권리를 주장하고, 평화를 이루기 위해서 불법에 맞서서 투쟁하는 목적의 법이야.
법

불행히도 현실에서는 모든 실정법이 다 이러한 법의 목적에 전적으로 부합하거나 부합하도록 제정된 것은 아니지만,
법대로 해!
그래 어디 한 번 해 보자!

법이 자신의 목적을 배신하고 불법의 도구로 사용되는 경우가 더러 있기는 해도 법의 원래 목적은 그렇지 않다는 거지.
진실은 바뀌지 않아요.
법

여러분은 우리나라의 미래야.

우리나라의 미래는 불법에 맞서서 대항하는 여러분의 권리 주장에 달려 있으니까.
권리
권리
권리

자신의 권리를 주장하는 당당하고 씩씩한 이 나라의 주인공이 되도록!
퍽!
화이팅!!

# 마틴 루서 킹

▲ 마틴 루서 킹

마틴 루서 킹 목사는 간디의 비폭력 정신을 바탕으로 미국의 인종차별에 저항한 유명한 흑인 인권 운동가입니다. 그는 힘 있는 웅변과 뛰어난 지도력으로 1950년대에서 1960년대 미국 시민운동을 지도한 위대한 지도자이기도 합니다.

마틴 루서 킹은 1929년 1월 15일 미국 애틀랜타에서 침례교 목사의 아들로 태어나서 크로저 신학교와 보스턴 대학에서 공부했고 자신도 1954년에 목사가 되었습니다.

1955년 미국 몽고메리 시의 시민운동가 로자 파크가 시에서 결정한 버스 탑승 인종차별 제도에 대해 불복종 운동을 시작했을 무렵 킹 목사는 새로 설립된 몽고메리 개혁 위원회의 지도자로 선출되어 버스 보이콧 운동을 주도했습니다. 1956년까지 계속된 운동에서 마틴 루서 킹은 특유의 웅변력과 탁월한 용기로 국가적 명성을 얻었습니다. 결국 버스 인종 차별 제도는 헌법에 위배되는 것으로 대법원에서 판결되었습니다.

1957년 몽고메리에서의 성공을 바탕으로 킹과 다른 흑인 목사들은 남부 기독교 지도회를 설립했고, 킹 목사는 회장으로서 자유를 위한 기도 순례회를 하면서 흑인 투표권을 주장하였습니다. 그는 서부 아프리카를 여행하며 가나 독립기념식에 참가했고, 간디의 비폭력 저항에 대한 이념을 키워갔습니다. 마틴 루서 킹은 비폭력

운동을 주장하면서 한때 호전적인 젊은이들과 대립하기도 했습니다. 1963년 비무장한 흑인 시위자들과 개와 소방 호수를 동반한 경찰과의 충돌은 큰 뉴스가 되었는데, 이러한 대립은 1963년 8월 28일 20만 이상이 미국의 수도 워싱턴 디시에 모였을 때 절정에 달했고 여기서 킹 목사는 '나는 꿈이 있어요.' 라는 유명한 설교를 했습니다. 킹은 1964년 시민 권리법이 통과하는 데 결정적인 역할을 했으며, 이 공로로 1964년 노벨 평화상을 수상했습니다.

1967년 마틴 루서 킹 목사는 직접적으로 미국의 베트남 참전에 반대하는 목소리를 내기 시작했고, 이로 인해서 자신의 편에 서 있던 많은 백인 시민운동가들로부터 심한 비난을 받게 되었습니다. 또 그는 모든 인종의 가난에 대한 이해를 높이기 위해 빈민 행진을 계획했습니다. 이러한 빈민 행진의 일환으로 도시들을 골라서 직접 방문하기도 했는데, 멤피스에서는 흑인 환경 위생 노동자들이 불공정한 임금과 열악한 노동조건에 대해서 파업을 하고 있었습니다. 킹 목사는 멤피스의 시위를 주도하기 위해서 멤피스에 갔고, 행진은 폭동으로 끝났으며, 경찰은 즉시 유혈 보복을 감행했습니다. 그는 생명에 대한 협박도 받았습니다. 그러나 킹 목사는 어떤 일이 있더라도 비폭력 저항을 계속하도록 지지자들을 설득했습니다. 다음날 저녁, 킹 목사는 호텔 발코니에서 총을 맞고 쓰러졌으며 7시 멤피스 병원에서 숨졌습니다. 마틴 루서 킹 목사가 죽은 후에 그의 사상에 대한 논란이 있었습니다. 왜냐하면 그의 비폭력 저항에 동의하는 자도 있었고, 그의 여러 가지 정치적 참여에 부정적으로 생각하는 자들도 있었기 때문입니다. 그의 고귀한 철학과 인간애를 기념하기 위해 미국 정부는 1986년 마틴 루서 킹의 생일인 1월 15일을 미국의 연방 공휴일로 제정했습니다.

제12장
법 이상주의
법
이
상
주
의

자 이제는
마지막 장이군.
12

여기서는 법 이상주의에 대해서
한번 생각해 보자.
법이상주의

법 이상주의라니
거창하게 들려?
지이이잉

사실 거창할 것도
없어.
법 이상 주의

그냥 한번 붙여 본
이름이니까.
철썩
법이상주의

법 이상주의! 어때?
안보여~

법 이상주의란 '법이 최고의 가치다'란 것이 아니야.
법

또한 법의 독재나 법 만능주의나 법에 대한 환상을 말하는 것도 아니야.
법 이상주의?
내가 왕이란 뜻인가?
크하하
법

법 이상주의는 누구도 불법에 굴복하지 않고 투철하고 용감한 법 감정의 소유자로서 자신의 권리를 지키는 거야.
아, 그렇구나.
헤헤
척
법
권리

더 나아가 나라와 민족의 권리를 수호하고 법의 위대한 이념까지 실현하는 성격의 이상주의지.
법의 신전으로 출발!
이념
권리

또 비겁하거나 두렵거나 나태해서
니가 가진 권리를 내놔라!
크악
안돼

물질주의나 천박한 이기심에 젖어서 권리를 포기하지 않는 거야.
권리를 나에게 팔게나?
흥! 싫어요.

권리를 포기하는 정신의 굴욕에서 벗어나서 당당하고 용감하고 씩씩하게 불법에 맞서서 권리를 주장하고
자 이거 받으시고,
한 표 부탁드려요.
휙

불법과 싸워서 단 한 순간이라도 불법을 허용하지 않겠다는 결단과 용기에 기초한 신념의 이상주의야.
정치를 하겠다는 사람이!
삐뽀 삐뽀

그런 점에서 법 이상주의란, 법의 이론적 논리적 우월성이나 완성을 주장하는 것이 아닌, 법을 실천하는 권리자의 고상하고 숭고한 성격을 나타내는 말이지.
찾았다!
법

이상주의라고 하니까
대단해 보인다고?
번쩍
이상주의

사실은 모든 사람들이 권리 투쟁을 할 수 있는 사회에 대한 이상인 거지.

권리 투쟁
권리 투쟁
권리 투쟁
권리 투쟁
권리 투쟁
권리 투쟁
권리 투쟁
권리 투쟁

한마디로, 법 이상주의란 법에 대한 건강한 신념의 이상을 실현하고자 하는 이상주의야.

신념
법
법
법

사실 현실적으로 볼 때 이러한 삶을 사는 사람이 그렇게 흔하지 않아.

권리 투쟁

모든 사람이 스스로 자신의 인격을 주장하는 권리 주장을 통해서 불법을 용인하지 않을 때, 불법이 사라지고

튀자.
불법
권리
권리
권리
권리
권리

법의 이념이 실현되며, 법이 목적하는 평화를 이루게 돼.

이념
법

이것은 법이 기대하는 이상적인 현실이라고 할 수 있어.

이상현실
법

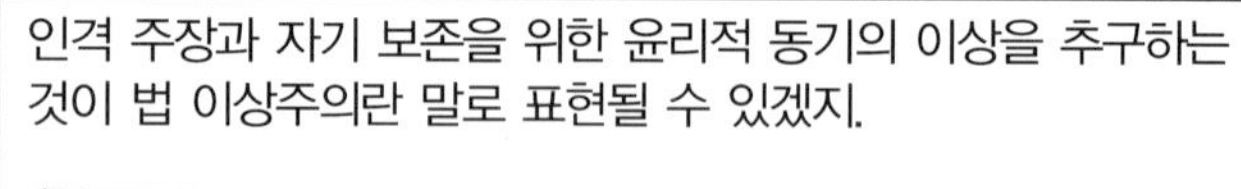

인격 주장과 자기 보존을 위한 윤리적 동기의 이상을 추구하는 것이 법 이상주의란 말로 표현될 수 있겠지.

인격주장
자기보존
윤리적동기의이상 = 법 이상 주의

법 이상주의란 말은 예링이 직접 쓴 말은 아니고, 예링의 도덕적, 법적, 윤리적 이상을 표현하기 위해 여기서 고안된 표현일 뿐이야.

도덕
법이상주의
법
윤리
누가 했는진 모르지만
괜찮은데?

물론 이상주의란 말은 예링도 썼어.

이상주의

지금까지 우리는 단지 이익을 추구하는 행위의 단계에서 인격과 그 생존 조건의 주장이라는 좀 높은 단계까지 올라 왔는데 이제 정의의 실현이라는 제일 꼭대기에 올라서려고 해.
잘못 왔다.
조금만 더 가면….
정의실현
으~
이익

정의의 실현은 법의 존재 이유니까.
넌 내 존재의 이유야.
부끄 부끄
정의 실현
법
받아줘

법이 목적하는 평화는 정의의 실현이야.
평화 = 정의의 실현
법

《권리를 위한 투쟁》의 관심은 개인적인 영역인 사법에서
휙-
권리를 위한 투쟁
사법

국가적인 공법이나 국제법에까지 점진적으로 확장되어 가지.
권리를 위한 투쟁
휙
사법
국제법

궁극적으로 말하면 한 나라는 각각의 개인들의 총합일 뿐이며,
독도망언
저것들이
또 망언이야.

각각의 개인이 느끼고 생각하고 행동하는 것처럼 한 나라도 느끼고 생각하고 행동한다는 거야.
가만두지 않겠다.
허걱

만약에 여러 가지 사법에서 개인의 법 감정이 무감각하고 비겁하고 무관심한 상태에 있다면,
사법? 몰라. 나만 넓게 살면 되지.
와우

불법과 나쁜 제도가 장애가 되어서 그들이 자유롭고 강력하게 활동하지 못한다면,
허걱
불
법

지원하고 장려해야 할 때에 오히려 박해한다면, 어떻게 될까?
나 좀 구해줘.
불
법
내가 왜 그래야 되는데.
사법

이런 결과로 사람들이 불법을 참고 견디며 불법을 바꿀 수 없는 것으로 여기는데 익숙해지면 어떻게 될까?
독재자
내가 대통령 해도 될까?

이제 개인적인 차원이 아니라 정치적 자유를 없애 버리고,
대통령 선거
나 혼자 나가야지!
독재자
기호1번
촤악
독재자

헌법을 파괴하거나 전복하며,
헌법을 고치겠다!
법
독재자

외부 적들의 공격에 맞서야 하는 민족적 권리 손상으로 일어날 때,
외적
으아악
쿵!
독재자

지금까지 노예처럼 살면서 위축되고 무관심한 법 감정이 갑자기 예민해져서 강력한 저항을 위해서 벌떡 일어설 것이라는 것을 누가 믿을 수 있을까?
니들이 알아서 해!
외적
퍽
독재자

한 번도 자신의 권리를 용감하게 방어한 적이 없는 사람이 자신의 삶과 소유를 전부 다 동원할 자발적인 충동을 느낀다는 것이 가능할까?
이거 어떻게 쓰는 거야?
?!
?!

편하게 살려고 자신의 좋은 권리를 포기해 버리거나,
휙
권리가 밥 먹여 주나.

명예와 인격에 고통을 주는 이상과 포부의 침해를 전혀 깨닫지 못하고,
?
왜 웃냐?
바보
킥킥
쿡쿡

또 권리의 문제에 단지 물질적인 잣대로만 평가하던 사람이 국가의 권리와 명예가 문제가 되면 다른 잣대를 사용하여 다르게 느낄 것이라고 어떻게 기대할 수 있겠어?
도와주세요.
돈 많으면 도와주지롱.
헤헤
권리
명예

지금까지 항상 거부되었던 신념의 이상주의가 갑자기 나타날 수 있을까?
너는 신념도 없냐?
그런 거 없어. 돈이 최고야.
흥!
명예
권리

결코 그럴 리 없겠지?
안 봐도 비디오.

국가법과 국제법을 위해 싸우는
사람은 다름 아닌 사법을 위해서
싸우는 바로 그 사람일 거야.
!
공격!
외적
독재
타도

사법의 영역에서 행동하던 사람이
국가법과 국제법에서도 그렇게
행동하는 것은 당연하지.
여기까지다
외적
No
WAR

비겁한 사람은 어디에서나 비겁
하고 용감한 사람은 어디에서나
용감한 법이니까.
No
WAR
국제법을
무시할
셈이냐!
외적

국가법과 국제법에서 열매를 얻으려면 사법에서
씨를 뿌려야 해.
국가법
국제법
사
법

가정에서 바르게 자란 사람이 사회에서도
바르게 행동하니까.
똑바로
걸으랬지!

자신의 권리를 바르게 수호하는 자가 결국 민족의 권리도
수호하고 나아가서 인류의 권리도 주장할 수 있는 법이거든.
권리
♪
구호품

또 자신의 권리를 지킬 수 있는 사람이 많이 모일
때 국가는 더 큰 목적과 명분을 실현할 수 있고,
와아
권리

낮고 하찮은 삶의 여러
형편에서 사법을 위해 한
방울씩 힘을 만들고 모아야,

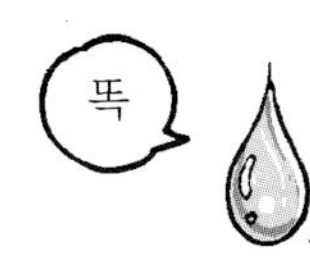
똑

국가가 필요로 하는 큰 목적을 위해서
사용할 수 있는 도덕적 자본이 마련돼.
와~
가뭄에 단비~
국가

가장 낮은 단계지만 개인의 권리가
문제가 되는 사법이야말로 한 민족의
정치적 교육의 참된 학교가 되는 거야.

민족정신
와아
사 법

한 나라가, 필요한 경우에, 정치적 권리와 국제법적 지위를 어떻게 수호하는가를 알고 싶으면 어떤 것을 보면 될까?

예링은 개인이 사법에서 자기 자신의 권리를 어떻게 주장하는가를 보면 된다고 말해.
개인
권리주장
콕!
사법

법 이상주의가 무슨 의도로 사용되었는지 이해가 돼?
법 이상 주의

한마디로 일상생활에서 자신의 작은 권리를 사법의 차원에서 지켜 내지 못하는 사람은 국가나 국제적인 권리에서도 마찬가지라는 거야.
사법아~
국가법아~
국제법아~
사법
국제법
국가법

예를 들어 볼까?
예


오늘까지 공부를 하나도 안 하고 지내다가 내일 대학교 시험을 치는데 갑자기 모든 것을 알게 되는 일은 있을 수가 없으니까.

평소에 전혀 운동을 안 하던 사람이 갑자기 올림픽 대회에 나가면 저절로 힘이 솟아날 리 없는 것처럼 말이야.
헉 헉!
쌩
쌩

그래서 '집에서 새는 바가지는 밖에서도 샌다.'는 속담도 있어.
윽! 샌다.

만약 정의로운 사회에서 살고 싶다면,
정의

평소에 정의롭게 살지 않으면 그렇게 살아야 할 때도 살 수가 없다는 거지.
정의
정의
정의
정의

법이나 도덕이나 윤리도 마찬가지야.

평소의 성격이 큰일에서도 그대로 나타나.
입사 시험
뭐하는 겁니까!

그래서 이상주의란 바로 건강한 법 감정을 소유하고 불법에 용감하게 맞서 자신의 권리를 주장하는 거야.
권리
불법

또한 자신의 인격 이상을 수호하려는 신념과 성격, 즉 법의 이상을 실천하는 그러한 신념과 성격을 말하는 이상주의지.
자신의인격 = 법의 이상
신념
성격

법의 이상이란 한시라도 불법을 허용하지 않겠다는 명백한 신념을 추구하는 사람의 인격과 다르지 않아.
저 사람은 법 없이도 살 사람이야.

법의 이상을 실천하는 정직하고 강인한 성격을 가진 개인이 모여서 도덕적이고 강한 국가를 만드는 거고,
강한 도덕이야.
개인
개인
도덕
개인

그러한 개인의 법적 이상이 모여서 결국 한 나라의 도덕적 법적 이상을 실현하는 것이니까.
도덕적 이상
도덕
콰아아
개인
개인

그래서 법 이상주의라고 한번 이름을 붙여 본 거야.
찰싹!
법 이상주의

법에 대한 분명한 신념을 가지고 권리 주장에서 용감하고 당당한 성격을 가진 시민에 대한 이상이지.
히~
나는 법을 잘 지키는 시민맨!

한 나라의 운명은 그 나라에 사는 사람들에게 달려 있어.
바로 여러분!

나태하고 게으르고 비겁한 사람들이 모여서 부지런하고 열심히 사는 용감한 나라를 만들 수 있을까?
아니오!

여러분이 밭에 씨를
뿌린다고
생각해 봐.
톡!

썩을 것으로 심으면 썩을 것을 거두고, 썩지 않을 것으로 심으면 썩지 않을 것으로 거두지.

여러분의 이상이 어떠하냐에 따라 우리나라의 미래도 달려져.
미래

오늘까지 비겁했는데 내일 용감해질 수는 없지.
야, 돈 좀 빌려 주라!

그러니 여러분도 지금부터 용기를 내.
싫어!
너 나 알아?
헉

여러분은 법이 임명한 법의 수호자야.
맞기 싫으면
어서 내 놔!

모든 개인은 사법으로부터, 제한된 범위라 할지라도, 위임을 받은 법의 집행자요 수호자이란 것을 기억해.
네가 날 때린다면
돈은커녕 내가 폭행죄로
널 신고할 거야!
안
먹히네.

사법이란 바로 여러분의 사생활을 보호하는 법이니까.
착하게
살아야지.
미…안!
흥!

그러므로 여러분은 이제 법으로부터 불법과 맞서 싸우며 자신의 권리를 수호하도록 그 권리를 부여받은 사법의 투사야.
법의 수호자로 임명하노라.
법
충성을
다하겠습니다.

여러분이 사법의 투사로서 용감하게 불법을 이겨나갈 때 사법은 법으로서 생명과 명예를 유지할 수 있어.
덤벼라!!
크악
불법

그리고 사생활과 사법에서 용감한 여러분이 또한 공법이나 국가법 나아가 국제법에서도 용감한 투사가 될 수 있어.
권리
사법
공법
국가법
국제법

여러분이 자신의 권리를 바로 지켜나갈 때 비로소 인류의 평화를 지키는 사람이 될 수 있다는 말씀!
권리
사법
공법
국가법
국제법

인류의 평화가 오늘 여러분의 모습에 담겨 있어.
권리
평화

다시 한 번
큰소리로
외쳐 볼까?

법의 목표는 평화요
그 수단은 투쟁이다!

그래서 예링은 법은 이상주의라고 말해.
이상주의

자신의 이상을 목표로 삼고, 그 원칙이 공격을 받으면 모든 것을 희생할 각오를 하고 용감하게 대항하는 성격의 이상주의란 말이야.
아!
퍽
휙
누구야?

그 공격이 개인이든 국가든 아니면 외부로부터 오느냐는 문제가 되지 않아.
우
린
떼
개인
국가
외적
킥킥

누가 공격을 해오든 오직 그 공격에 대해서 자신의 인격을 주장할 수 있는 정신적인 힘, 즉 법 감정의 힘은 당당하게 맞서니까.

크아
잘못
건드렸다!
국가
개인

이러한 국민의 정신적 힘을 바로 한 나라의 진정한 국력이라고 말할 수 있어.

예링은 결코 성인이 된 자식을 대나무로 때리는 중국은, 작은 스위스보다 국제법상으로 높은 지위를 누리지 못할 것이라고 단언했어.
국제법

한 나라의 진정한 힘은 국토의 크기나 인구나 그 무기에 있는 것이 아니야.
우리 땅이 제일 넓다!
우리나라가 제일 강해!

그 나라 국민의 도덕적, 정신적 자질과 법 감정의 이상주의에 있다고 말할 수 있어.
법감정

법 감정의 이상주의는 개인이 자신의 권리를 방어하는 데 그치지 않고 나아가서 법과 질서를 유지하는 중요한 힘이 되는 거야.
이상주의
빽!
법과 질서
법감정

법 감정의 위대한 이상을 느끼지 못하는 나라에서는 엄격한 준법정신도 찾아볼 수 없게 되고 법의 문제는 바로 자신의 문제라고 생각하지 않아.
누가 내 돈 훔쳐갔어!
괜찮아. 내가 목걸이 훔쳐왔어.
자! 돈 가져왔어.
누가 내 시계 훔쳐갔어.
자, 시계 훔쳐왔어.
누가 내 목걸이…

범인이나 위법자를 추적하거나 구속하려면 오히려 범죄자의 편을 들면서 국민이 국가를 자신의 적으로 생각하는 서글픈 현상이 나타나.
니가 뭔데 잡아가?
먹고 살기가 힘들어서 그런 건데!

예링은 단호하게 주장해.
'범죄자의 편을 드는 것은 범죄자 자신일 뿐 결코 정직한 시민은 아니다'

이런 나라가 어떻게 강한 나라가 될 수 있으며,
도둑질 하고도 무죄다!
이런 나라에선 못 살겠다.
법

국제법상 높은 지위를 얻을 수 있을까?
귀찮게 뭐야? 치워!
불법
스윽!
국제법

경찰보다도 강도에게 박수를 치는 나라를 어떤 나라가 존중하겠어?
남들 거도 내 거! 내 건 또 내 거다! 크하하.
한심하군.

법의 이상주의는
법 감정의 이상주의야.

강도나 도둑의 편을 드는 법 감정이 어떻게 법의 목적인 인류의 평화를 실현할 수 있을까?
평화 그게 뭐야.
돈내놔

법이 불법과 맞서 싸우는 것을 이해하지 못하고 불법이 법을 이기는 나라는 법의 이상을 실현할 자격이 없어.
판정승.
와
크윽!
비뚤어질 테다!
법

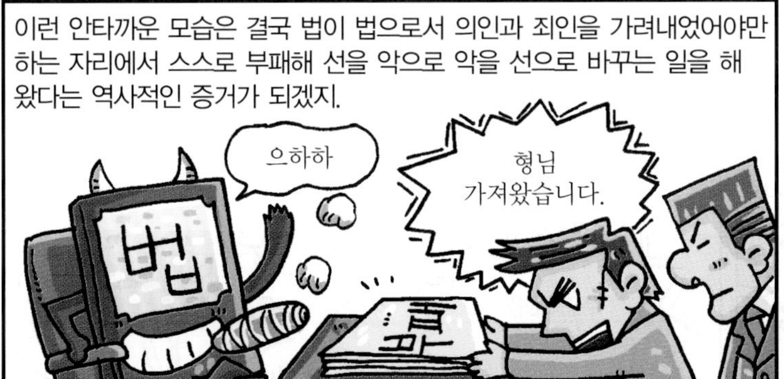
이런 안타까운 모습은 결국 법이 법으로서 의인과 죄인을 가려내었어야만 하는 자리에서 스스로 부패해 선을 악으로 악을 선으로 바꾸는 일을 해 왔다는 역사적인 증거가 되겠지.
으하하
형님
가져왔습니다.
법

법이 법의 이름으로 불법을 행하는 것은 모든 불법 가운데 가장 비난을 받아야 하는 불법이야.
부패
법
퍽
퍽
퍽
퍽

이런 나라의 국민은 법 감정이 마비되고, 무감각해지는 데 그치지 않고,
내 법
감정이
굳어
버렸다.

마침내 법이 불법과 싸우는 역사가 아니라 불법이 법과 싸우는 역사를 걷게 돼.
불법을위해
싸우겠어!
법
불법
불법

이런 나라에서 법 이상주의나
법 감정의 이상주의 정신을
찾을 수 있을까?

이런 이유에서 법이 그 사회에서 권력을 잡은 자나 경제적으로 부한 자들의 이익과 입장을 대변한다고 주장하면서
크흐흐.
윽!
법
불법
불법

법이 정치나 경제 등의 사회역학과 서로 주고받는 영향을 연구하는 사회학적 법 연구나 법 현실주의적 연구가 주목을 받게 되었다고 말할 수 있겠지.
와아
와!
와아
사회학적
법 연구
법
사회주의

그럼 이제 국가는 국민에게 어떤 정신을 길러 주고 어떻게 교육을 해야 하는지도 충분히 드러난 것 같군.

국가
법 감정
아하
국민
국민


한 나라가 국제적으로 존경받는 지위를 얻으려면 가장 먼저 해야 할 것은 새로운 무기를 개발하는 데 돈과 시간을 낭비하는 것이 아니라는 것 알겠지?

가장 먼저 해야 할 일은 국민의 법 감정을 보호하고 장려하는 것이야.

법감정
국민
국민
국민


신선하고 건강하고 용감한 법 감정이야말로 국가라는 나무의 뿌리지.

뿌리는 땅 속에 있어서 보이지 않고 화려하지도 않지만 그 뿌리가 없으면 잎이 마르고 줄기와 가지는 자랄 수 없어. 그리고 뿌리가 썩으면 나무는 말라서 죽을 것이고 마침내 통째로 뽑히고 말 거야.

무슨 짓을
한 거야!
쩌억
국가
법 감정


《용비어천가》*는 이런 교훈을 잘 가르쳐 줘.

용비어천가


"뿌리 깊은 나무는 바람에 아니 흔들리고 잎이 좋고 열매가 많이 맺힌다."

허허
와
후욱
튼튼


***용비어천가** – 조선 세종 27년(1445)에 정인지, 안지, 권제 등이 지어 세종 29년(1447)에 간행한 악장의 하나. 훈민정음으로 쓴 최초의 작품.

예링은 많은 정치가들은 나쁜 법규와 부당한 제도가 국민의 정신력에 얼마나 파괴적인 영향을 끼치는가를 주의하지 않는다고 했어.

부자들은 세금 적게
서민은 폭탄 세금!
슈우웅
세금
으악
서민
서민


그는 또 얼간이 정치가들은 대체로 뿌리에는 별로 관심이 없고 화려해 보이는 잎사귀에만 열을 올린다고 했지.

부자만세
이쪽만
찍으세요!
S 방송
으악
서민
서민


이런 정치가들 때문에 국민의 법 감정은 수모를 겪게 되는 경우가 많아.

퍽
불법
편법
퍽
법감정
퍽
불법
퍽


역사에서 보듯이 전체주의자와 독재자들은 국민의 법 감정을 지속적으로 억압하여 무감각하게 만들어 버려.

퍽
퍽
편법
독재자
아무
느낌도
없네.
법감정


국민들이 법 감정에 기초한 권리 주장을 하지 못하게 하는 거지.

국민
허하다.
위이잉
안녕


국민의 건강한 법 감정이야말로 외부의 적에 대한 가장 강력한 무기라는 것을 그들은 몰라.

화아악
왕아
법감정


예링은 봉건적이고 독재적으로 농민과 시민을 마음대로 하던 때에 알자스 지방이 독일 제국에서 사라져 버렸다고 말해.

독재 싫어!
읏차
알사스
폴짝
프랑스
독일


알자스 지방은 지금 프랑스 땅이 됐어.

이쪽이
훨씬
행복해!
알사스
프랑스


우리가 역사의 교훈을 깨달았을 때는 이미 늦은 경우가 많아.

아까워 죽겠네.
흑흑…
퍽


좀 어려운 한자로 말하면 사후약방문이라고 하지.

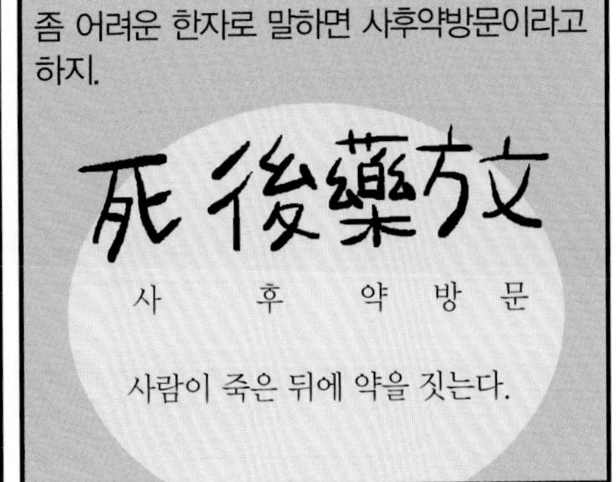

死後藥方文
사 후 약 방 문
사람이 죽은 뒤에 약을 짓는다.

역사의 교훈을 바르게 깨닫지 못하는 것은 역사의 잘못이 아니라 우리 자신의 잘못이지.
크흐흐
?
악법
악법
과거
현재

왜냐하면 지금도 역사는 분명하게 같은 것을 가르쳐 주고 있으니까.
킥킥…
?
!
나 기억 안 나?
악법
악법
과거
현재

예링은 책에서 이렇게 말했어. "한 민족의 힘은 그 민족의 법 감정의 힘과 같은 의미다. 한 나라의 법 감정의 보호가 국가의 건강과 힘의 보호이다. 이 보호란 말로서 나는 명백하게 학교나 강의가 아니라 모든 삶의 형편에서 정의의 근본 원칙들을 실제로 수행하는 것이라고 이해한다."
휴지통

권력을 유지하려고 발표하는 여러 가지 부당한 법규들은 국민들의 건전한 법 감정을 훼손하는 것이며
세금 인상
국가 재정이 바닥나서 세금을 인상합니다.
또야
또…

'권리이념에 대한 죄악' 이라고 말해.
죄악이야.

국가는 이러한 불법으로 국민에게 주는 피해보다도 더 큰 피해를 입게 될 수도 있어.
세금
국민

국가가 국민으로부터 자신의 명예를 되찾는 데는 오랜 세월이 필요할지도 모르기 때문이지.
나쁜놈들 우리한테 이런 놈들이나 붙이고….
에구에구.
이놈의 나라 못 믿겠어!
세금
세금
국민
국민

국민을 억압하는 국가, 국가를 신뢰하지 않는 국민, 과연 이보다 더 큰 불행이 있을까?
국가
세금 더 내!
세금
국민
더는 못 내!

그 문제에 대해 예링은 이렇게 말했어. "법의 모든 영역에서, 사법뿐만 아니라 경찰, 행정, 재정법 등에서 실질적인 법의 확고함, 명료함, 확실함을 확보하고, 건강한 법 감정을 잃게 하는 모든 규정들을 제거하는 것, 재판의 독립성과 소송 제도를 완전하게 하는 것 등이 국방비를 올리는 것보다 국가의 힘을 향상시키는 데 더 확실한 방법이다."

우리가 지킨다!
쏴라!
행정
경찰
재정
사법

건전한 법 감정이라도 지속적으로는 악법을 견뎌 내지 못해.
악법
켁
법감정

아무리 건강한 사람이라도 계속되는 피로 누적에는 결국 병 들고 말듯이 건강한 법 감정도 지속적인 억압을 받게 되면 결국 약해지고 무기력해질 수밖에 없어.
악법
법감정
킥킥

법 감정이 자유롭게 발휘되기 위해서는 행동의 자유가 보장되어야 해.
법감정

그래서 법 감정과 자유로운 행위의 관계를 예링은 신선한 공기와 불꽃과의 관계로 설명해.

신선한 산소가 공급되지 않으면 불꽃이 계속 타오를 수 없는 것처럼

자유로운 행동이 보장되지 않으면 역시 법 감정도 질식하고 만다는 뜻이야.
푸수수

여러분의 법 감정은 지치지 않고, 쉼 없이 타오르기를 바랄게.

결론적으로, 좋은 나라는 자유롭게 행동하고
불법에 맞서 자신의 권리를 주장하며
카오
권리
불법
정의의 신념을 실현하려는 이상적 성격으로 훈련된
개인들로 이루어진 나라지.
정의
와아아
불법
권리
권리
법의 목적은
평화요!
와아
법감정
권리
권리
법
권리
경찰

이런 나라에서는 법의 이념은 실현되고 불법은 도무지 발을 붙이지 못할 테니까.
정의
권리
와아
깨갱~
후다닥
불법
마지막으로 다시 한 번 외쳐 볼까?
그 수단은 투쟁이다!
신념
권리
와아
권리
권리
불법
악법

# 법 현실주의

법 현실주의는 20세기 전반에 미국을 중심으로 나타난 법의 본질에 대한 새로운 이론입니다. 기본 주장은 법이란 인간에 의해서 만들어지고, 인간은 여러 가지 약점이 많고 불완전하기 때문에 정치적으로 독립해서 객관적으로 적용할 수 있는 자율적 시스템이라고 볼 수 없다는 것입니다. 법 현실주의에 따르면 사법부의 판결은 국가나 사회적 환경 및 도덕적 선입견에 의해서 크게 영향을 받는 주관적인 시스템이므로 판사에 의해서 내려지는 판결은 법률에 근거한 순수하게 객관적인 결정이 아니며, 당시 국가의 정치적, 사회적, 도덕적 선입견에 의해서 크게 영향을 받는 주관적인 결정이라는 것입니다.

법 현실주의자들은 법이란 그 사회에서 가장 힘 있고 경제력이 있는 사람들의 의지를 반영한다고 주장합니다. 이런 견해에서 보면 정의란 강자의 이익을 대변할 뿐입니다. 즉 법이 옳다고 결정하는 것은 그 사회에서 권력을 가진 자의 이익을 대변할 뿐이라는 것입니다.

또한 법 현실주의들은 법이란 주어진 시간에 구체적인 재판에서 한 판사가 판결하는 것에 지나지 않기 때문에 법적 소송의 결과는 판사의 정치, 문화 및 도덕적 신념에 따라 달라진다고 생각합니다. 이 경우에 판사 개인의 심리적 혹은 인간적 성격이 판결에 영향을 미치게 됩니다. 이렇게 되면 법이 판사의 개인 목적을 수행하는 도구로 사용될 수 있습니다. 판사가 자기의 개인적인 신념에 유리하도록 판결하는 사례가 있을 수 있기 때문입니다. 물론 판사가 판결할 때에 자신의 양심의 자유에 따라 판결할 권리가 있지만 그럼에도 결코 자신의 개인적인 신념이나 목적에 부합하도록 법을 해석해서는 안 되는 것임에는 누구든지 동의할 것입니다.

판사들이 각 사례마다 자신의 정치적 신념을 따라서 결정하게 되면 결국 사회는 불안정하고 혼란이 일어날 것입니다. 그래서 판사들은 판결에서 개인의 신념과 목적에 따라 판결하지 말고 반드시 전체 사회의 복지를 염두에 두고 해석해야 합니다. 이것이 법 현실주의자들이 가장 강조하는 주장입니다. 이 주장은 사회 내에서 최대 다수의 최대 행복에 기여해야 한다는 벤담의 공리주의적 주장과 일치합니다. 그러나 불행하게도 우리 사회에서는 현실적으로 이러한 원리가 지켜지지 않은 경우가 종종 일어나고 있습니다. 이런 점에서 법 현실주의자들의 주장은 경우에 따라서는 설득력 있어 보입니다.

또 법 현실주의자들 중에는 판사가 판결에서 정치적, 경제적, 사회적, 실천적, 역사적 관심들에 의해서뿐만 아니라 개인적 심리와 성격에 의해서도 영향을 받으므로 변호사나 소송인들은 골치 아픈 법 조항에 시간을 많이 들이지 말고, 이러한 요소에 더 많은 공을 들여야 한다고 말하는 이들도 있습니다. 결국 소송할 때 판사가 어떤 성향의 사람인가를 먼저 알아보고 그의 성향에 맞게 재판에 임하는 방식입니다. 마치 시험 칠 때 출제자의 경향을 분석해서 그것에 맞춰 준비하는 것과 비슷합니다. 아무튼 법 현실주의는 우리가 가지고 있는 전통적인 법에 대한 해석과는 여러 가지 차이를 보여 줍니다.

Carpus Juris Cinis

# 예링 권리를 위한 투쟁

윤지근 글 | 청강만화스튜디오 그림

**01** 《권리를 위한 투쟁》의 저자는 누구일까요?

① 예링 ② 루소 ③ 마르크스 ④ 엥겔스 ⑤ 로크

**02** 예링은 어느 나라 사람일까요?

① 프랑스 ② 영국 ③ 독일 ④ 이탈리아 ⑤ 미국

**03** 고대 국가 중에서 법으로 유명한 나라는 어디일까요?

① 그리스 ② 페르시아 ③ 아시리아 ④ 이집트 ⑤ 로마

**04** 다음 설명이 가리키는 것은 무엇일까요?

세계 3대 법전 중의 하나로 로마법 대전이라고 불린다.

① 나폴레옹 법전 ② 함무라비 법전 ③ 유스티니아누스 법전

④ 12표법 ⑤ 우르남무 법전

**05** 예링은 '법의 목적은 (　　)이며 그 수단은 (　　)이다.'라고 합니다. 괄호 안에 들어갈 말을 순서대로 바르게 연결한 것은 무엇일까요?

① 사랑 – 자선 ② 도덕 – 실천 ③ 정의 – 권력

④ 평화 – 투쟁 ⑤ 질서 – 통치

**06** 정의의 여신이 양손에 들고 있는 것은 무엇일까요?

① 창과 방패 ② 칼과 저울 ③ 곡식과 그릇

④ 책과 펜 ⑤ 칼과 횃불

**07** 다음은 《권리를 위한 투쟁》에 나오는 진술입니다. 틀린 것은 무엇일까요?

① 권리자의 권리에 대한 주장은 그 자신의 인격 주장이다.

② 권리를 전적으로 포기하는 것은 정신적 자살과 같다.

③ 권리에 대한 투쟁은 권리자 본인에 대한 의무이다.

④ 권리에 대한 투쟁은 공동체에 대한 의무는 아니다.

⑤ 법은 두 개의 얼굴을 가진 야누스와 같다.

**08** 다음 내용과 가장 관계가 깊은 작품을 고르세요.

- 셰익스피어의 극작품
- 안토니오와 샤일록
- 1파운드의 살덩이 계약 조건

① 《오셀로》 ② 《말괄량이 길들이기》 ③ 《리어왕》

④ 《로미오와 줄리엣》 ⑤ 《베니스의 상인》

**09** 《권리를 위한 투쟁》에서 가장 강조하는 말은 무엇일까요?

① 법감정 ② 법이념 ③ 법정신 ④ 법사상 ⑤ 법의식

**10** 성문법에 대해 간단하게 서술하세요.

______________________________

정답

01 ① / 02 ③ / 03 ⑤ / 04 ③ / 05 ④ / 06 ② / 07 ④ / 08 ⑤ / 09 ①

10 문자나 문서로 기록된 법을 말합니다. 반대는 불문법입니다.

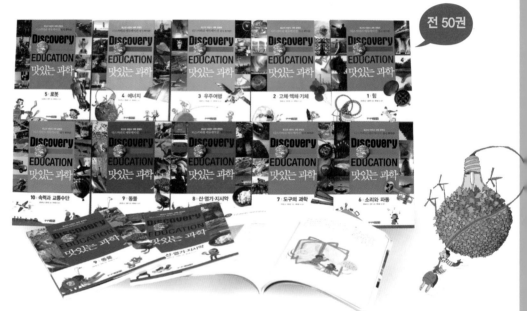